CLV

Helen Santos

Kalebs Lamm

bibellesebund
Verlag Bibellesebund Marienheide / Winterthur

CLV
Christliche Literatur-Verbreitung Bielefeld

5. Auflage 2008

Titel der englischen Originalausgabe: »Caleb's Lamb«
erschienen bei: Scripture Union (Bibellesebund), London

Deutsch von Wolfgang Steinseifer
Illustrationen von Justo G. Pulido, www.pulido.de

Umschlag: Georg Design, Münster
Satz: CLV
Druck: CPI – Ebner & Spiegel, Ulm

ISBN 978-3-87982-283-6 (BLB)
ISBN 978-3-89397-570-9 (CLV)

Inhalt

Das verlorene Schaf

Es war vor langer, langer Zeit im Land Gosen im Reich Ägypten. Ein Junge schlief tief und fest am Fuß eines Dornbaums. Um sich vor wilden Tieren zu schützen, hatte er sich mit ein paar abgerissenen Zweigen zugedeckt. Und um sich warm zu halten, hatte er sich unter dem abgewetzten Mantel seines Vaters so eng wie möglich zusammengerollt.

Seit über einer Stunde stand die Sonne am Himmel. Doch der Junge hatte mehr als die halbe Nacht wach gelegen und sich gefürchtet. Nun konnte das helle Licht ihn nicht in seinem Schlaf stören.

Hoch oben auf einem Ast des Dornbaums saß ein Geier. Er drehte den Kopf hin und her, während er mal mit dem einen Auge, dann mit dem anderen den Jungen unter sich beobachtete. Er hüpfte unruhig auf seinem Ast herum und versuchte neugierig, das Bündel am Fuß des Baums besser zu sehen. Schließlich stieß er ein durchdringendes Krächzen aus, von dem der Junge erwachte.

Der Mantel wurde zurückgeschlagen, und ein dunkler Lockenkopf erschien. Schläfrige Augen öffneten sich unwillig und weiteten sich angstvoll, als der Junge sich erinnerte, wo er sich befand und dass er allein war.

Er setzte sich auf, lehnte sich mit dem Rücken an den Baumstamm und schlang zitternd den Mantel wieder um seine Schultern. Die Sonne hatte noch nicht ihre wärmende Kraft entfaltet. Der Frühling war jung und die Luft schneidend kalt.

Kaleb, so hieß der Junge, trug eine Schaffell-Jacke über seinem Gewand und darüber den Mantel, der seinem Vater gehörte. Doch der Boden war ebenso kalt, wie er hart war.

Kalebs braune Augen blickten zum Geier hinauf. Das musste ein schlechtes Vorzeichen sein, dass ausgerechnet ein solcher Vogel dasaß und ihn anstarrte. Sein langer Schnabel diente zum Hacken und Reißen. Die krummen, langen Klauen, die sich jetzt an den Ast klammerten, konnten sich genauso fest in ein verletztes Tier krallen. Die scharfen, tückischen Augen schienen gierig zu lauern.

Kaleb sprang plötzlich zornig auf. Er fuhr mit den Armen durch die Luft und rief dem Geier zu: »Weg da! Scher dich fort! Starr mich nicht so an!« Doch der Geier starrte noch neugieriger und ohne das geringste Anzeichen von Furcht.

Es war Kalebs schlechtes Gewissen, das ihn so wütend auf den Geier reagieren ließ. Seit er erwacht war, bedrängten ihn die Erinnerungen an den gestrigen Tag – an den Zorn seines Vaters, an seinen eigenen Ärger, an das verlorene Mutterschaf …

Oh, wie er die Schafe hasste! Diese dummen Tiere. Wussten sie denn noch immer nicht, dass sie nur bei der Herde sicher waren, weil da der Hirte auf sie achtgab? Wussten sie noch immer nicht, dass sie abends in den Pferch gehörten?

Offenbar nicht, sonst würden sie ja nicht einfach davonlaufen und sich verirren!

Ascher, Kalebs Vater, hatte gesagt: »Das Mutterschaf da wird bald lammen. Es kann jeden Tag losgehen. Lass es nicht aus den Augen! Es wird allein losziehen, um sich ein abgelegenes Plätzchen zu suchen und dort sein Lamm zur Welt zu bringen. Pass auf es auf und hol es zurück, wenn es sich davonstiehlt!«

Kaleb hatte aufgepasst. Wirklich! Stunde um Stunde hatte er auf das Schaf achtgegeben, bis ihm die Augen von der grellen Sonne wehgetan hatten und er vom angestrengten Starren auf den braunen, wolligen Rumpf ganz benommen und müde geworden war.

Nur einen kurzen Augenblick hatte er es nicht beobachtet. Es hatte bei anderen Schafen gestanden und zufrieden am frischen Frühlingsgras geknabbert. Und dann war die Eidechse zwischen den Steinen hervorgeschossen, eine kleine Eidechse mit goldenen Augen; ein Tier, bei dessen Anblick es Kaleb in den Fingern juckte und sein Herz höher schlug …

Jetzt verharrte sie reglos wie die Steine selbst – eine leichte Beute. Kaleb spannte seine Hände; aber blitzschnell war sie verschwunden, sobald sich sein Schatten bewegt hatte. Kaleb hob einen Stein nach dem anderen auf, vom zuckenden Eidechsenschwanz fortgelockt. Da! Da war sie wieder, den Kopf emporgereckt, regungslos, wunderschön.

Nur ein Augenblick schien vergangen zu sein. Doch als Kaleb sich an das Schaf erinnerte und zu der Stelle hinüberschaute, an der er es zum letzten Mal gesehen hatte, waren die anderen noch da und grasten. Aber das braune mit den prall hervorstehenden Seiten war verschwunden.

Kaleb kämpfte die aufsteigende Panik nieder. Er wusste, dass er das Schaf finden musste, und zwar schnell. Doch er durfte nicht herumrennen, sonst merkte sein Vater, was geschehen war. Sehr weit konnte es noch nicht gekommen sein. Vielleicht hatte es sich zu einer Gruppe bei seinem Vater gesellt. Die Herde graste über eine weite Weidefläche verstreut, und manche Mutterschafe hatten schon ihre Lämmer neben sich.

Aber wie sollte er aus der Ferne wissen, welches das Schaf war, das er suchte? Es gab viele braune Schafe in der Herde, wie es auch graue, weiße und gefleckte gab. Sein Vater behauptete, jedes einzelne unterscheide sich von allen anderen; doch für Kaleb sahen alle gleich aus.

Wie zornig er auf das braune Mutterschaf war! Und wie zornig auf seinen Vater. Wie konnte er ununterbrochen aufpassen, wenn ihm der Kopf wehtat und die Augen tränten? Kaleb wusste, er hätte auf der Stelle zu seinem Vater laufen und ihm das Unglück erzählen sollen. Aber er tat es nicht. Er schämte sich viel zu sehr und war viel zu zornig.

Noch am Morgen hatte ihm Ascher eingeschärft, wie wichtig es sei, Mutterschafe, die bald lammten, besonders gut im Auge zu behalten. Er hatte nicht viele Worte gemacht. Hirten reden gewöhnlich nicht viel, stattdessen singen sie ihren Schafen oft etwas vor. Aber gerade weil sein Vater ein schweigsamer Mann war, war das, was er sagte, umso wichtiger und unbedingt zu befolgen.

Dreimal hatte er Kaleb ermahnt, dieses eine Mutterschaf nur ja nicht aus den Augen zu lassen. Wie konnte Kaleb da jetzt zu seinem Vater gehen und ihm berichten, dass das Tier davongelaufen war?

Nein, Kaleb wollte noch etwas warten. Sicher würde das Schaf vor Einbruch der Dunkelheit mit einem Lamm zur Herde zurückkehren. Dann brauchte sein Vater gar nicht zu erfahren, was geschehen war. Doch Stunde um Stunde war vergangen, und es war nicht zurückgekommen. Und mit jeder Stunde war es schwerer geworden, dem Vater etwas zu sagen. Ascher wäre am Anfang gewiss zornig gewesen, aber nun würde er sicher noch zorniger sein.

Für den Rest des Tages bewachte Kaleb treu die übrigen Schafe und hoffte verzweifelt auf das Wunder, dass das braune Schaf mit einem Lamm an der Seite zurückgetrottet kommen würde.

Einen Augenblick lang hatte er sich überlegt, zum Gott seines Vaters zu beten. Ascher betete jeden Abend und jeden Morgen. Er hatte Kaleb erzählt, dass Gott alles hörte und sah – nicht nur das, was sie sagten und taten, sondern sogar alles, was sie tief innen im Herzen dachten. Mit diesem Gott konnte Kaleb ebenso wenig reden wie mit seinem Vater. Dazu war er zu zornig und schämte sich zu sehr.

Es war ein schrecklicher Tag. Kalebs Miene wurde immer finsterer, und in seinem Inneren brannte die Schuld wie ein Feuer. Wie gern wäre er zu seinem Vater gelaufen und hätte ihm sein Versagen bekannt. Doch stets hielt ihn etwas davor zurück – die Hoffnung, dass das Schaf zurückkehren würde, und die Angst vor dem Zorn seines Vaters.

Als die Dunkelheit hereinbrach und Ascher die Schafe zählte, während sie sich in den Pferch drängten, bemerkte er sofort das Fehlen des braunen Mutterschafes. In diesem Augenblick wünschte Kaleb, die Erde würde sich öffnen und ihn verschlingen – doch sie tat es nicht.

Mit hängendem Kopf stammelte er: »Es ist nicht

meine Schuld. Ich habe sie nur einen winzigen Moment aus den Augen gelassen.«

»Ist es etwa meine Schuld?«, fragte der Hirte. »Oder Saras Schuld? Sie ist nur ein dummes Tier, aber uns hat sie vertraut, dass wir sie beschützen!«

Kaleb konnte nicht antworten. Der Schmerz in der Stimme seines Vaters grub sich tief in seine Seele. Ascher hatte ihm vertraut, wie Sara den Menschen vertraut und von ihnen Schutz erwartet hatte. Kaleb biss sich auf die Lippen und hasste Sara noch mehr.

»Du musst sie suchen!«, sagte sein Vater.

»Gewiss! Gleich bei Sonnenaufgang, das verspreche ich dir«, antwortete Kaleb eifrig.

»Morgen ist es zu spät. Du musst sie jetzt suchen.«

»Aber es ist schon dunkel. Da kann ich sie nicht mehr sehen.«

»Sie wird deine Stimme hören, und du hörst ihre Stimme, wenn sie in Not ist und um Hilfe schreit.«

Kaleb fürchtete sich vor der Dunkelheit. »Bitte, schick mich nicht fort!«, bat er.

Aber sein Vater schien ihn nicht zu hören. »Sieh in den Dornbüschen nach. Such zwischen den Felsen und in den Bodensenken. Sie wird ihr Lamm bei sich haben. Zu deinem Schutz hast du deine Schleuder bei dir – und unseren Gott. Du wirst nie ein guter Hirte werden, wenn du nicht lernst, deine Schafe wichtiger zu nehmen als dich selbst.«

Diese Worte klangen Kaleb in den Ohren und brannten in seiner Seele, während er ein flaches Gerstenbrot einsteckte, sich den Mantel seines Vaters überwarf und loszog.

Zuerst war er gelaufen und immer wieder über den Mantel gestolpert, bis er die Enden um seine Schultern geschlungen hatte. Doch er wurde bald müde und konnte kaum die Augen offen und die Beine in Bewegung halten.

Der Vollmond ließ um ihn herum gespenstische Schatten wachsen. Dornsträucher reckten riesige zupackende Krallen empor, Felsblöcke wurden zu unergründlichen

Höhlen. Alles sah übergroß und unheimlich aus. Nichts erinnerte an die Weidefläche bei Tageslicht. Kaleb hatte Angst.

Wieder und wieder rief der Junge, so laut er konnte, Saras Namen und horchte angestrengt auf eine Antwort. Doch alles blieb still, und bald flößte ihm sogar seine eigene Stimme in dieser Wildnis Furcht ein.

Dann kam er zu dem Dornbaum, wo er sich niederließ und sein Brot aß. Er war müde und durchgefroren und wollte ein wenig rasten und sich ausruhen. Während er aß, drangen die Geräusche der Wüste an sein Ohr: Kratzen, Rascheln, kleine Mäuse, die hin und her huschten, Skorpione, größere Tiere, vielleicht ...

Ein Zittern überlief Kaleb. Sein Herz schlug so schnell und laut, dass es fast die Nachtgeräusche übertönte. Und was war mit den bösen Geistern? Die sahen ihn bestimmt hier. Würden sie nicht kommen und ihn verschlingen?

Kaleb sprang auf, raffte hastig ein paar abgebrochene Zweige von einem Busch zusammen und deckte sich damit zu. Er fürchtete sich viel zu sehr, um jetzt noch weiterzugehen. Schlangen, Schakale, Löwen ... Die schlimmsten Bilder schwirrten ihm im Kopf herum.

Er erinnerte sich an die Worte seines Vaters: »Zu deinem Schutz hast du unseren Gott«, und ihn tröstete der Gedanke, dass der Gott, dessen heiliger Name niemals ausgesprochen werden durfte, gerade jetzt über ihm wachte und seine Angst verstand.

Kaleb zog sich den Mantel seines Vaters bis über den Kopf und rollte sich so nah wie möglich am Stamm des Dornbaums zusammen. Da blieb er, bis der Geier ihn mit seinem durchdringenden Schrei weckte.

Das Lamm

Kaleb war jetzt hellwach und dachte mit Schaudern daran, wie oft er schwarze Vögel wie diesen gesehen hatte. Sie standen auf einem verendeten Tier und rissen mit dem Schnabel verwesendes Fleisch von dem Kadaver. Geier waren Aasfresser.

»Sie erfüllen eine wichtige Aufgabe«, hatte der Vater gesagt, als Kaleb in einen Ruf des Erschreckens und des Abscheus ausgebrochen war, als er das erste Mal einen Geier sah. »Sie sorgen dafür, dass keine toten Tiere herumliegen.«

Doch auch Ascher mochte die Geier nicht. Zu oft griffen sie lammende Schafe an, wenn sie gerade besonders wehrlos waren. Sie töteten sogar Lämmer, noch bevor diese zum ersten Mal auf ihren Beinen gestanden hatten. Wenn so etwas nun Sara und ihrem Lamm zugestoßen war? Kaleb lief es kalt den Rücken hinunter. Er musste es so schnell wie möglich herausfinden.

Er war hungrig. Aber er hatte schon das ganze Brot gegessen, so brauchte er jetzt keine Zeit für das Frühstück zu verschwenden. Bevor er aufbrach, wiederholte er die Gebete, die sein Vater jeden Morgen sprach, und fügte dann noch ein eigenes an: »Bitte, lass mich Sara schnell finden! Und bitte, gib, dass es ihr gut geht!«

Nun fühlte er sich etwas besser, zog sich den Mantel fest um die Schultern und machte sich auf den Weg zu einer mit Felsbrocken übersäten Anhöhe, wo Dornbüsche und wilde Blumen fast wie Silber in der Sonne glänzten. Dies war eine gute Stelle für ein Mutterschaf, das ein Versteck suchte, um dort sein Lamm zur Welt zu bringen. Dort musste Sara sein.

Der Geier krächzte heiser, breitete seine starken Flügel aus und erhob sich in die Luft. Sein Schatten streifte Kaleb, als er ihn überflog. Er kam vor Kaleb auf der Anhöhe an, ließ sich auf einem Felsen nieder und putzte sich mit dem Schnabel das Gefieder. Der Geier war das einzige Lebewesen, das Kaleb weit und breit entdecken konnte, und trotz seines Gebets ließ Kaleb den Mut sinken. Wollte Gott ihm durch diesen Geier sagen, dass er zu spät gekommen sei?

Bald hatte er die Antwort. Er kletterte über die Felsen und folgte einer Spur von eingetrocknetem Schafskot. Da erblickte er plötzlich auf der Erde Reste eines braunen Wollbündels. Das war Sara. Sie war tot. Eine schwarze Fliegenwolke zeigte an, dass andere Tiere bereits ihren Hunger an ihr gestillt hatten. Kaleb blieb wie angewurzelt stehen.

Der Tod war etwas Schreckliches. Kaleb konnte sich nicht daran gewöhnen, obwohl er ihm ständig auf die eine oder andere Weise begegnete: in den Geschichten, die sein Vater erzählte; in dem, was die Frauen im Dorf erzählten und flüsterten; in der Herde selbst, wo Schafe aus allen möglichen Gründen starben – gewöhnlich ganz plötzlich.

Das war das Schlimmste am Tod, seine Plötzlichkeit. Wie ein Raubtier lauerte er in der Finsternis, um auf einmal erbarmungslos zuzuschlagen. Saras zerfetzter toter Körper legte Zeugnis davon ab, und Kaleb trug die Schuld daran, weil er nicht auf sie aufgepasst hatte. Und was war mit dem Lamm? Hatte es ein Schakal oder ein Löwe fortgeschleppt? War es schon mit Haut und Haaren aufgefressen worden? Zögernd blickte sich Kaleb um. Er wollte nicht noch ein weiteres totes Tier finden, erwartete aber nichts anderes.

Er hatte nur den einen Wunsch: so schnell wie möglich zu seinem Vater zurückzulaufen. Mochte Ascher auch noch so zornig sein, der schreckliche Anblick des toten und zerfetzten Schafes war schlimmer als alles andere. Doch Kaleb kämpfte mit aller Kraft den inneren Drang nieder und lief stattdessen auf den Geier zu, der ihn immer noch beobachtete. Seine Hände tasteten nach seiner Schleuder und einem Stein.

»Fort mit dir!«, rief er. »Hast du denn noch nicht genug?«

Der Geier erhob sich mit aufgeregtem Flügelschlagen und einem empörten Schrei. Als Kaleb gerade auf ihn zielen wollte, hörte er wieder einen Schrei – einen, der ganz anders war als der des Geiers und ihn mitten in seiner Bewegung innehalten ließ. Da blökte ein Lamm, schwach und leise, aber ohne Zweifel ein Lamm in Not! Woher war der Schrei gekommen? Wo war das Lamm? Kaleb horchte angestrengt. »Wo bist du?«, rief er.

Da! Wieder ein Blöken – irgendwo zu seiner Rechten, wo der felsige Grund steil, fast senkrecht etwa drei Meter abfiel. Der Boden der Senke war dicht mit blühenden und dornigen Sträuchern überwachsen.

Als Kaleb den Hang hinunterblickte, ertönte erneut ein Blöken, lauter als beim letzten Mal. Tatsächlich, da war das Lamm. Es hatte sich so in den Sträuchern verfangen, dass es sich kaum noch bewegen konnte. Nur sein

Kopf und sein Schwanz zuckten aufgeregt hin und her, als Kaleb auftauchte.

Das Lamm musste über die Kante gestürzt sein, vermutete Kaleb, und vielleicht hatte Sara stundenlang an der Stelle gestanden, an der er jetzt stand, ihre Verzweiflung hinausgeblökt und damit die Raubtiere angelockt. Wer weiß, was wirklich geschehen war? Aber eines war sicher: Die Dornen, die das Lamm gefangen hielten, hatten ihm gleichzeitig das Leben gerettet.

Aufgeregt kletterte Kaleb in die Senke hinunter. Doch es würde nicht leicht sein, sich bis zu dem Lamm vorzuarbeiten. Er hackte mit seinem Messer auf den Zweigen herum und las einen Stein auf, um damit die Dornen abzubrechen, die an seiner Jacke zerrten. Jetzt hätte er den dicken Knüppel seines Vaters gut gebrauchen können! Bald war er in Schweiß gebadet.

Das Lamm versuchte mit aller Kraft, sich aus seiner Lage zu befreien. Es blökte laut in Todesangst, denn es wusste ja nicht, dass Kaleb gekommen war, um es zu retten.

Es war ein schönes Lamm, ganz weiß außer einem dunkleren Ring um die Nase und den roten Flecken auf dem wollenen Fell, wo die Dornen gestochen und gerissen hatten. Es gab nicht viele weiße Lämmer in der Herde, deshalb waren sie besonders wertvoll. Für weiße Wolle ließ sich ein besserer Preis erzielen als für farbige. Vielleicht würde sich der Zorn des Vaters etwas legen, wenn er dieses weiße Lamm sah.

»Ruhig! Ganz ruhig!«, rief Kaleb dem Lamm zu, das sich durch seine verzweifelten Befreiungsversuche immer fester in dem Strauch verfing und verletzte.

»Siehst du denn nicht, dass ich versuche, dir zu helfen? Du wirst sterben, wenn du hierbleibst.«

Tatsächlich gab das Lamm nach einer Weile den Kampf auf, nicht, weil es keine Angst mehr gehabt hätte, sondern weil es zu erschöpft war. Lange bevor Kaleb es erreichen und befreien konnte, hatte das Lamm seine Augen geschlossen und sich in sein Schicksal ergeben. Kaleb stöhnte vor Schmerzen, denn die Dornen, die das Lamm festhielten, zerkratzten seine Arme.

Sobald das Lamm Kalebs Hände spürte, öffnete es plötzlich die Augen wieder, blökte voll Angst und kämpfte mit dem letzten Rest von Kraft, der in ihm war. Kaleb musste es schließlich an den Vorderbeinen aus dem Strauch herausziehen, während es mit weit geöffnetem Mund blökte und immer noch versuchte, sich frei zu treten. Als Kaleb endlich auf der Erde saß und das kleine Wesen an sich drückte, um es an seinem Körper zu wärmen und zu beruhigen, stemmte es sich immer noch gegen ihn.

Kaleb spürte den wilden Herzschlag des Lammes gegen seine eigene Brust. Es musste schreckliche Angst haben.

»Ruhig! Ganz ruhig!«, murmelte er. »Ich tu dir doch nichts!« Er streichelte den kleinen Körper mit seinen zerkratzten und wunden Händen und versuchte, das verängstigte Tier zu beruhigen.

Das Lamm hörte auf, sich zu wehren. Vielleicht erinnerten es Kalebs Hände an die ersten schönen Augenblicke seines Lebens, als seine Mutter es mit der Nase betastet und angestupst, es abgeleckt und seinen Körper gewärmt hatte.

Nun meldete sich auf einmal der Hunger, und das Tier begann Kaleb mit seiner Nase abzusuchen. Gab es denn da keine Milch? Kaleb steckte ihm zwei Finger in das Maul, und es begann mit aller Kraft daran zu saugen. Seinen harten kleinen Kopf presste es fest an Kalebs Brust.

Bald stieß es ein jämmerliches Blöken aus. Kalebs Finger enthielten keine Milch! Das war zu viel für das kleine Tier. Es sank in sich zusammen und gab den Kampf auf. Sein kalter, blutbefleckter Körper wurde schwer in Kalebs Armen. Die Angst war geschwunden und aller Lebenswille auch.

Die schwarzen Nasenlöcher schlossen sich ebenso wie die Augen, als wolle das Lamm sogar das Atmen aufgeben. Der lange Schwanz lag still und leblos da. Während Kaleb auf das hilflose Bündel in seinen Armen hinunterblickte, durchfuhr ein warmes Gefühl sein Herz, wie er es noch nie erlebt hatte. Es war Liebe, auch wenn er das noch nicht wusste.

Kaleb merkte in diesem Augenblick nur, dass dieser Schmerz ihn dazu trieb, aufzuspringen, sich das Lamm auf die Schultern zu laden und so schnell wie möglich zu den Herden seines Vaters aufzubrechen. Er vergaß seinen eigenen Kummer und seine Schmerzen, seine Angst und Erschöpfung und war nur noch von dem einen Wunsch beseelt, dieses Lamm um jeden Preis am Leben zu erhalten.

Mehr als einmal war Kaleb versucht, seine Last abzusetzen und zu rasten. Nur der bohrende Schmerz in seinem Herzen ließ ihn der Versuchung standhalten. Er musste schnell zu seinem Vater zurück, sonst würde das Lamm sterben.

Kalebs Herz schlug höher, als die ersten Schafe in Sicht kamen. Bald entdeckte er auch seinen Vater, der die ganze Herde überblickte. Kaleb rief ihn, und sein Vater antwortete ihm sofort und eilte ihm entgegen.

Er nahm Kaleb das Lamm von den Schultern und barg es in seinen Armen. Es fiel kein Wort des Vorwurfs; keine Erklärung war nötig. Der Hirte wusste auch so, was vorgefallen war. Kalebs zerrissene Kleider und die tiefen Kratzwunden an seinen Händen und Armen erzählten genug.

»Der Kleine ist so schwach, dass es nicht viel Hoffnung für ihn gibt«, sagte Ascher. »Wenn er leben will, wird er leben. Sonst wird er heute Abend tot sein.«

Obwohl Kaleb von der Anstrengung, das Lamm so weit zu tragen, völlig erschöpft war, durfte er sich noch keine Ruhe gönnen. Irgendwie musste das Lamm gefüttert werden, aber es war noch viel zu schwach, um es einem der Mutterschafe anzulegen.

Der Vater brachte Kaleb etwas Milch in einer Schale. »Versuch es selbst zu füttern!«, sagte er. »Tauch deine Finger in die Milch und steck sie dann dem Lamm ins Maul. Versuch es immer wieder, bis es versteht, dass es die Milch schlucken soll. Gib nicht auf, auch wenn der kleine Bursche aufgegeben hat!«

Kaleb freute sich über diese Aufgabe. Aber er war müde und wurde bald ungeduldig. Es sah so aus, als hätte das Lamm, das in dem Gebüsch so tapfer gekämpft hatte, allen Lebenswillen verloren. Es beachtete die warme, süße Milch überhaupt nicht.

»Nun mach doch! Trink doch endlich!« Doch das Lamm regte sich nicht, öffnete nicht einmal die Augen.

War all die Anstrengung umsonst gewesen? Da hätte er es ja gleich in dem Dornstrauch sterben lassen können!

In seiner Ungeduld zog er dem Lamm an einer Seite die Lippen auseinander und versuchte, ihm etwas Milch direkt in das Maul tropfen zu lassen. Das Lamm schüttelte den Kopf. Die meiste Milch floss daneben. Doch ein wenig musste die Kehle des Lammes erreicht haben, denn das Tier schluckte und würgte plötzlich und musste das Maul aufsperren.

Hastig ließ Kaleb etwas mehr Milch an seinen Fingern hinunterrinnen, die er dem Lamm zwischen die Kiefer gesteckt hatte. Der kleine Bursche protestierte, indem er austrat und auf die Beine zu kommen versuchte. Und dieses empörte Aufbäumen entfachte neu den Lebensfunken.

Kaleb spürte, wie die fast leblose Zunge auf einmal von seinen Fingern Besitz ergriff. Freudig ließ er noch mehr Milch Tropfen um Tropfen an ihnen entlang in das Maul des Lammes fließen.

Bald war die Schüssel leer. Ihr Inhalt war nur zum kleinsten Teil im Bauch des Lammes angekommen; aber das war immerhin ein Anfang. Mehrere Male brachte Ascher neue Milch. Das Lamm nahm sie mit jedem Mal williger zu sich, um anschließend wieder in tiefen Schlaf zu fallen.

Kaleb musste nicht gesagt werden, dass er beim Lamm bleiben und darauf aufpassen solle. Niemand hätte ihn von seiner Seite weggebracht. Er beobachtete, wie sich die Flanken des Tieres bei jedem kurzen, stoßweisen Atemzug hoben und senkten, und befürchtete jeden Augenblick, dieses Schnaufen könnte das letzte sein. Aber als es Abend geworden war, stand das Lamm auf allen vieren, stieß Kaleb aufgeregt an und blökte verlangend, als ihm der Duft von neuer Milch in die Nase stieg.

Es war nicht stark. Es schwankte und wäre gefallen, wenn Kaleb es nicht gestützt hätte. Aber es trank die Milch, und Kaleb fasste neuen Mut.

In dieser Nacht schliefen der Junge und das Lamm unter derselben Ziegenfell-Decke. Vielleicht hielt das Lamm Kaleb für seine Mutter, denn es hatte keine Angst mehr.

Ascher kann so gut erzählen

Beim Abendessen hatte Kaleb seinem Vater die ganze Geschichte von Sara und dem Lamm erzählt. Wie sehr er sich gefürchtet und wie er unter dem Dornbaum geschlafen hatte, diesen Teil behielt er lieber für sich. Vielleicht ahnte Ascher das ohnehin.

Kaleb wusste, dass sein Vater ihn bewusst losgeschickt hatte, nicht so sehr, um ihn zu bestrafen, sondern vor allen Dingen, um ihm eine Lektion zu erteilen. Das Leben eines Hirten war hart. Er verbrachte viele Monate in der Steppe und im Bergland, weit weg von zu Hause und seinem Heimatdorf, stets auf der Suche nach Weideplätzen für seine Schafe.

»Wenn du dich nicht von Anfang an abhärtest«, hatte der Vater einmal zu Kaleb gesagt, »wirst du nicht überleben.«

»Aber ich will gar kein Hirte werden!«, hatte Kaleb widersprochen. Das war nun schon lange her. Nur fünf Jahre alt war er gewesen und kaum seiner Mutter entwöhnt, da hatte sein Vater ihn zum Schafehüten mitgenommen.

Kaleb hatte sich an seine Mutter geklammert, doch sie hatte ihn von sich geschoben und ihm gesagt, er müsse gehen. Im Dorf sei es zu unsicher für einen Knaben, besonders für einen so kräftigen und hübschen wie Kaleb. Die ägyptischen Herren seien eifersüchtig auf die Hebräer-Jungen, erzählte sie ihm. Sie würden vielleicht kommen und ihn töten oder als Sklaven verschleppen. Nein, es sei besser, wenn er den Ägyptern aus den Augen und bei den Schafen in Sicherheit sei. Dort drohe ihm keine Gefahr außer natürlichen Unglücken, die Gott zulasse.

Kaleb war damals zu jung gewesen, um all das zu verstehen. Die plötzliche Trennung von der Mutter und seinem Zuhause hatte ihn mit Bitterkeit erfüllt. Seine Schwestern hatten bleiben dürfen. Ihnen trachtete niemand nach dem Leben. Er war immer verwöhnt worden und hatte meistens seinen Willen bekommen. Dann wurde er plötzlich aus der sorglosen Kindheit herausgerissen und in das harte Leben eines Wanderhirten gestoßen.

Kaleb hatte zu der Zeit seinen Vater Ascher, den Hirten, kaum gekannt. Er hatte nicht mit ihm gehen wollen, einem Fremden mit einem schwarzen Bart, der sich in Ziegenfelle kleidete, wie die Tiere roch, mit denen er umherzog, und kaum wusste, wie man mit einem Kind redet.

Seither waren Jahre vergangen. Inzwischen hatte Kaleb sich daran gewöhnt, auf dem Boden zu schlafen, die Füße dem Feuer zugewandt. Er hatte sich daran gewöhnt, Tag für Tag Kilometer um Kilometer mit den Schafen weiterzuziehen. Viel hatte er in dieser Zeit gelernt, und vor allem hatte er seinen Vater lieb gewonnen und seine Mutter und seine Schwestern fast vergessen – fast, denn tief in seinem Herzen hatten sie einen ganz besonderen Platz.

Abends, wenn die Schafe sicher im Pferch waren, entzündete Ascher ein Feuer und kochte das Essen. Nachher redete er mit Kaleb und erzählte ihm alles, was er über die Sterne und den Himmel, die Blumen und die wilden Tiere wusste; und Kaleb hörte zu und lernte.

Ascher sprach auch von den Schafen. Doch Kaleb hasste sie, weil sie ihn – wie er meinte – von zu Hause fernhielten. Auch wenn er viel über sie lernte, konnte ihn sein Vater nicht dazu bringen, sie zu lieben oder mit dem Herzen an ihnen Anteil zu nehmen; denn Liebe wächst auf natürliche Weise und lässt sich nicht erzwingen.

Am liebsten hörte Kaleb seinem Vater zu, wenn er Geschichten von ihrem Volk erzählte. Es waren spannende Geschichten, die von Leuten handelten, die selbst Hirten gewesen waren – Besitzer großer Rinder-, Schaf- und Ziegenherden, die viel reicher waren als Ascher und sogar Esel und Kamele besaßen. Aber nicht einmal diese Geschichten ließen in Kaleb den Wunsch erwachen, selbst ein Hirte zu werden.

Als Kaleb an diesem Abend seinem Vater in allen Einzelheiten berichtete, wie er das Lamm aus dem Dornstrauch befreit hatte – und sich selbst am meisten darüber freute, weil das Lamm sich im Schlaf fest an ihn geschmiegt hatte –, da sagte sein Vater: »In der Geschichte von Isaak hatte sich auch ein Schafbock in einem Dornstrauch verfangen.«

Kaleb tat so, als erinnerte er sich nicht an die Geschichte, weil er sie noch einmal hören wollte; und sein Vater tat so, als glaubte er ihm, weil er sie so gern erzählte. Während die Flammen des Lagerfeuers flackerten, allmählich zu glühender Asche erstarben und die Sterne hoch oben heller und heller zu leuchten begannen, erzählte Ascher Kaleb noch einmal, wie ihr Vater Abraham mit Isaak, seinem Sohn, ins Land Morija gezogen war, weil Gott ihm befohlen hatte, Isaak dort zu opfern.

Als Kaleb zum ersten Mal den Ausdruck »unser Vater Abraham« gehört hatte, hatte er wirklich geglaubt, dass Abraham irgendwie sein Vater sei, so wie Ascher. Aber der Hirte hatte ihm erklärt, Abraham sei der Vater des ganzen hebräischen Volkes – doch das war eine andere Geschichte.

Abrahams Frau Sara konnte keine Kinder bekommen, und das bereitete ihnen viel Kummer. Abraham hatte so viele Rinder, Schafe und Esel, aber er hatte keinen Sohn, der all das erben könnte. Doch als er und Sara nicht einmal mehr von einem Sohn träumen konnten, da wurde ihnen Isaak geboren.

Isaak war ein besonderes Geschenk von Gott. Er sollte der Vater vieler Völker sein. Diesen Teil der Geschichte hatte Kaleb besonders gern. Sein Vater erzählte ihn stets auf dieselbe Art.

»Gott sagte zu Abraham: Tritt aus deinem Zelt heraus und schau zu den Sternen hinauf. Kannst du sie zählen? Du wirst mehr Kinder haben, als es Sterne am Himmel gibt.«

Dann sah Kaleb zu den Sternen empor, er konnte sie nicht zählen. Er konnte nur so weit zählen, wie die Finger an seinen beiden Händen reichten. Doch am Himmel hoch über seinem Kopf funkelten viele Male so viele Sterne. Manchmal, wenn er meinte, er habe alle gesehen, entdeckte er plötzlich einen neuen, den er noch nie bemerkt hatte, und dann noch einen und noch einen.

Zuweilen verschlug es ihm den Atem, wenn er die Sterne nur anschaute. Sie waren so schön, wie sie da glänzten und funkelten. Und Gott hatte Abraham versprochen, dass seine Kinder so zahlreich wie die Sterne sein würden!

Eine große Freude stieg jedes Mal in Kaleb auf, wenn er daran dachte, dass er eines der Kinder war, die Gott Abraham versprochen hatte. Er lächelte vor sich hin und strahlte seinen Vater an, wenn dieser zu ihm herübersah. Er wusste, dass auch sein Vater sich freute, eines von Abrahams Kindern zu sein.

Manchmal blickten beide gemeinsam lange zu den Sternen hinauf, und Ascher zeigte Kaleb die wichtigsten. Doch heute wollte Kaleb die Geschichte von Isaak und dem Schafbock hören, und so bat er seinen Vater: »Erzähl weiter! Was ist dann geschehen?«

Was dann geschah, ereignete sich, als Isaak noch ein Junge war. Abraham liebte ihn von ganzem Herzen, und Isaak war ein guter Sohn, ein Segen Gottes. Aber dann befahl Gott Abraham eines Tages, Isaak auf einen Berg mitzunehmen. Wenn sie dort angekommen seien, solle Abraham Isaak töten und Gott als Opfer darbringen.

Diesen Teil der Geschichte konnte Kaleb nicht begreifen, obwohl er wusste, wie es weiterging. Sein Vater erklärte ihm: »Gott wollte prüfen, ob Abraham ihm wirklich vertraute.« Kaleb fand es trotzdem ungeheuerlich, dass Gott Abraham und Isaak so in Angst versetzte.

Er stellte sich immer vor, er sei Isaak gewesen. Nur zu gut erinnerte er sich ja daran, wie sein Vater eines Tages gekommen war, um ihn von zu Hause wegzuholen, und wie er geweint und sich an seine Mutter geklammert und gerufen hatte: »Ich will nicht weg!«

Isaak dagegen war gehorsam mit seinem Vater gegangen und hatte sogar die Holzscheite getragen, auf denen er als Brandopfer dargebracht werden sollte, während Abraham das Messer und das Becken mit glühenden Kohlen getragen hatte. Abraham hatte Isaak nicht erzählt, wohin sie gingen und was sie dort vorhatten. Er sagte nur, sie wollten auf einem Berg zu Gott beten. Aber als Isaak das Holz, das Messer und die glühenden Kohlen sah, wusste er, dass sie ein Opfer darbringen würden.

Er fragte seinen Vater: »Feuer und Holz haben wir, aber wo ist das Lamm für das Opfer?«

Abraham antwortete: »Gott wird schon für ein Opferlamm sorgen, mein Sohn.«

An dieser Stelle der Geschichte bekam Kaleb stets Herzklopfen. Er hätte an Isaaks Stelle jetzt versucht wegzulaufen. So viel Ahnung hatte er nun schon von den Schafen, dass er wusste: Ein Lamm konnte nicht lange genug allein in der Wildnis überleben, dass Abraham es lebendig hätte finden können. Ein Lamm aber, von dem die Geier oder die Wölfe nur noch die Hälfte übrig gelassen hatten, ein solches Lamm konnte man Gott nicht als Opfer anbieten.

Nein, auf dem Berg würde kein Lamm sein. Abraham konnte nicht damit rechnen, eines zu finden. Er musste bereit sein, seinen Sohn zu töten.

Dann suchte Abraham Steine zusammen und baute damit einen Altar. Als das Holz darauf aufgeschichtet war und nur noch angezündet werden musste, da wusste Isaak selbst, was nun zu geschehen hatte. Da war kein Lamm, nur er. Gehorsam legte er sich auf den Altar und wartete darauf, dass sein Vater ihn tötete.

Kalebs Herz brannte. Wenn Gott nun seinem Vater eines Tages befehlen würde, ihn zu töten? Würde er das tun? Und würde er, Kaleb, so gehorsam sein wie Isaak und seinen Vater gewähren lassen? Kaleb spürte, wie ein Zittern seinen ganzen Körper durchlief. Dieser Gott war ein seltsamer, ein unbegreiflicher Gott!

In dem Augenblick jedoch, als Abraham seinen Sohn mit dem Messer töten wollte, hörte er die Stimme eines Engels.

»Abraham! Abraham, rühr den Jungen nicht an! Tu ihm nichts zuleide! Nun weiß ich, dass du Gott vertraust, denn du bist bereit, sogar deinen Sohn, deinen einzigen Sohn, zu opfern.«

Als Abraham aufblickte, sah er einen Schafbock, der sich mit den Hörnern im Gestrüpp verfangen hatte. Er war vorher nicht da gewesen, sonst hätte er ihn bemerkt. Gott hatte ihn dahin gebracht, damit Isaak nicht sterben müsste. Also zog Abraham den Schafbock aus dem Dornstrauch heraus und opferte ihn anstelle seines Sohnes.

»Und Abraham nannte den Ort ›Der Herr sorgt vor‹«, beendete Ascher seine Erzählung, »denn unser Gott sorgt immer für uns, wenn wir ihm vertrauen.«

Kaleb dachte über den Schafbock nach, den Gott dazu bestimmt hatte, an Isaaks Stelle zu sterben. Er war nicht so klein gewesen wie sein Lamm, das sich jetzt unter der Decke an ihn schmiegte, denn er hatte schon Hörner gehabt. Sein kleines Lamm hatte noch keine Hörner. Es hatte sich mit den Beinen und dem wollenen Fell im Gebüsch verfangen, und Ascher hatte die tiefen Wunden, die ihm die Dornen gerissen hatten, mit Öl behandelt.

Es war eine seltsame, beunruhigende Geschichte. Zum

ersten Mal machte sich Kaleb Gedanken über den Schafbock, den Gott zur Verfügung gestellt hat, um einem Menschen das Leben zu retten. Was hatte das zu bedeuten?

Sein Vater hatte gesagt, Gott tue nie etwas, das keinen Sinn habe; und es sei wichtig, Gott einfach zu vertrauen, denn begreifen könne man ihn nie.

Später, als Kaleb versuchte einzuschlafen, gelang es ihm nicht. Ihm gingen immer und immer wieder die Ereignisse des Tages durch den Sinn. Und das Lamm, das neben ihm unter der Ziegenfelldecke lag, gab Schnarchgeräusche von sich und stieß ihn hier und da an. Da hatte Kaleb das Gefühl, dieses Lamm habe Gott für ihn bestimmt, weil ihm sonst nichts gehörte.

Er lächelte zufrieden, denn mit dem Lamm, das sich neben ihm zusammengerollt hatte, fühlte er sich warm und glücklich. Das neue Gefühl in seinem Herzen war immer noch da, und es war ein schönes Gefühl.

Kalebs Lamm

Das Lamm überlebte die Nacht. Es stand am Morgen auf allen vieren und tat durch lautes Blöken kund, dass es Hunger hatte. Kalebs Vater holte ein Schaf mit vollem Euter herbei und hielt es fest, damit das Lamm saugen und trinken konnte so viel es wollte. Der kleine Bursche war jetzt kräftig genug dafür, aber als er seinen Bauch gefüllt hatte, war er erschöpft.

Als Ascher das Mutterschaf laufen ließ, machte das Lamm keine Anstalten, ihm zu folgen. Offenbar merkte es nicht, dass es zur Herde gehörte. Und es vermisste die Mutter nicht.

Ascher warnte Kaleb: »Mach dir noch keine falschen Hoffnungen! Erst in einigen Tagen lässt sich wirklich sagen, ob es überlebt oder nicht. Ich habe mutterlose Lämmer schon eine Woche oder länger gefüttert und gepflegt und manches dann doch noch verloren.«

»Dieses hier wird nicht sterben!«, behauptete Kaleb. »Ich lasse es einfach nicht.«

Seinem Vater gefiel diese Antwort. Er blickte in Kalebs ernste dunkle Augen und sagte: »Nun gut, vielleicht wird es leben – wenn du sehr gut für es sorgst.«

Kaleb sorgte sehr gut für das Lamm. Daneben musste er wieder die Schafe hüten, die sein Vater ihm anvertraut hatte. Er vergaß nicht, wie schnell Sara auf einmal verschwunden war, und so ließ er sich nicht mehr ablenken, weder von Eidechsen noch von Käfern noch von seltsamen Spuren im Sand. Er versuchte sogar, sich nicht zu sehr durch das Lamm ablenken zu lassen, auch wenn das schwer war.

Während die Schafe grasten, ließ er sich an einer Stelle nieder, von der aus er sie alle im Auge behalten konnte. Das Lamm schlief neben ihm. Es schlief viel zu viel, fand Kaleb. Er sah die anderen Lämmer umherspringen und miteinander spielen, und er wollte, dass sein Lamm sich daran beteiligte.

Der Hirte hatte sich noch einmal die Wunden angesehen. Sie waren nicht tief und würden schnell heilen. Er hatte mit seinen erfahrenen Händen den ganzen Körper abgetastet und dann zu Kaleb gesagt: »Es wird ein gutes Lamm sein, wenn es überlebt.«

Als Kaleb allein war, untersuchte er das Lamm so, wie es sein Vater getan hatte. Er fühlte die langen, kräftigen Beinknochen, die starken Schultern und den geraden Rücken. Während er das Lamm so von Kopf bis Fuß abtastete, regte sich in ihm wieder jenes Gefühl, bei dem ihm warm ums Herz wurde.

Noch mehrmals wurde das Lamm an diesem Tag zu einem der Mutterschafe gebracht, um sich satt zu trinken. Am Abend schien es schon viel stärker und stand bereitwilliger auf den Beinen.

»Vielleicht kommt es durch«, sagte Ascher. »Morgen werden wir sehen, ob eines der Mutterschafe es annimmt, dann können wir es bei der Herde lassen.«

Kaleb hörte das mit gemischten Gefühlen. Gewiss, er wollte, dass das Lamm kräftig wurde. Er wollte, dass es lebte. Er wusste, dass es in die Herde zu den anderen gehörte, und doch … Wenn es erst einmal zwischen

den anderen war, würde es nicht mehr sein Lamm sein. Es würde einfach ein Tier in der Herde sein, und wenn noch weitere weiße Lämmer geboren würden, könnte er es vielleicht nicht einmal mehr von den anderen unterscheiden.

Er schwieg zu der Ankündigung seines Vaters und wagte nicht, ihm zu widersprechen, obwohl er so gern gesagt hätte, was ihn bewegte. Aber Ascher merkte es auch so. Seinen scharfen Augen entging nichts, ob er nun Schafe oder Menschen beobachtete.

»Was hast du?«, fragte er.

»Ich möchte, dass es *mein* Lamm ist«, murmelte Kaleb und traute sich kaum, seinen Vater anzusehen. Die nächsten Worte brachte er noch leiser heraus: »Kann ich es nicht behalten und für es sorgen?«

»Ein Lamm aufzuziehen, ist schwere Arbeit. Du hast genug zu tun mit allem, was ich dir übertrage, und diese Aufgaben erfüllst du schlecht. Wenn du mit deinen Gedanken die ganze Zeit bei dem einen Lamm bist, wirst du die anderen Schafe vergessen und mir meine Arbeit noch schwerer machen.«

»Bestimmt nicht! Das verspreche ich dir. Ich werde mich mehr um die anderen kümmern. Ganz bestimmt!«

»Woher dieser plötzliche Wandel?«, fragte Ascher. »Noch vor zwei Tagen bist du voll Bitterkeit und Hass gewesen!«

Seine Worte trafen Kaleb ins Herz. Er wusste, wie wahr sie waren; und doch wusste er auch, dass sie nicht mehr zutrafen. Die Stunden mit dem Lamm hatten seine Gefühle völlig verändert. Aber wie konnte er das seinem Vater erklären? Er hatte noch nie über sich selbst gesprochen, über das, was er fühlte; und die Gefühle, die ihn jetzt bewegten, waren sehr tief und schwer zu erklären.

Vielleicht war sein langes Schweigen Erklärung genug. Vielleicht standen ihm seine Gefühle ins Gesicht geschrieben, und Ascher konnte sie im Schein des Feuers lesen.

Jedenfalls sagte Ascher plötzlich: »Also gut. Das Lamm gehört dir. Wenn du gut für den kleinen Burschen sorgst, wird er ein feiner Bock werden.«

Kaleb starrte seinen Vater fassungslos an. Er konnte kaum glauben, was er hörte. Er wusste ja, wie viel jedes Schaf seinem Vater bedeutete. Ein Lamm, das gab er nicht leichten Herzens weg. Die Schafe waren wie Kinder für ihn. Für ihre Wolle und ihre Milch gab er ihnen jede Stunde seines Lebens. Wenn eines starb oder getötet werden musste, weil es unheilbar krank war und Schmerzen hatte, dann litt er unter dem Verlust.

»Du meinst – es gehört wirklich mir? Oder gibst du es mir nur, damit ich für es sorge, bis es stark genug ist?«, fragte Kaleb, um sich zu vergewissern.

Nachdenklich erwiderte Ascher: »Vielleicht hat der Herr dieses Lamm geschickt, wie das Isaak-Lamm, damit du lernst, für die Schafe zu sorgen. Sorgen, wirklich sorgen kannst du nur für etwas, das du lieb hast. Und ich habe gemerkt, dass du die Schafe nicht liebst.

Als du klein warst, habe ich das verstanden. Ich dachte, du würdest sie im Lauf der Zeit lieb gewinnen. Doch ich merkte, wie du sie immer weniger mochtest. Du hast keine Geduld mit ihnen. Du versuchst sie zu treiben, statt sie zu führen. Dir fällt nicht auf, wenn eines krank ist oder lahmt. Du merkst nicht, wenn eines fehlt. Du kannst sie nicht auseinanderhalten.«

Kalebs Herz krampfte sich zusammen, als sein Vater so sprach. All das war ja wahr. Allerdings hätten ihn diese Worte noch vor kurzer Zeit zornig gemacht. Er hätte es vielleicht nicht ausgesprochen, aber in seinem Herzen hätte er sicher gedacht: ›Was macht das schon! Ich will kein Hirte werden; warum soll ich mich also um die dummen Tiere kümmern?‹

Nun aber hatte dieses kleine Lamm sein Herz verwandelt.

»Ich werde für es sorgen!«, rief er. »Ich habe es doch lieb! Ich möchte, dass es mir gehört.«

Ascher fuhr fort: »Wenn ich sehe, dass du für es sorgst, wenn du gut mit diesem Lamm umgehst, dann darfst du dir nächstes Jahr noch eines aus der Herde aussuchen. Es würde dir guttun, eigene Schafe zu haben. Der Lohnarbeiter sorgt nie so gut für die Schafe wie der Hirte selbst. Da habe ich wohl einen Fehler gemacht. Ich hätte dir von Anfang an ein eigenes Lamm geben sollen, für das du sorgen konntest.«

Er sah Kaleb liebevoll an und fuhr fort: »Du hättest Sara niemals in ihr Verderben laufen lassen, wenn sie dir gehört hätte. Aber vielleicht hat der Herr es so gewollt, damit er dir dieses Lamm anvertrauen könnte.«

Selbst diese ernsten Worte konnten Kalebs Freude nicht dämpfen. »Gehört es wirklich mir? Kann ich mit ihm machen, was ich will?«

Ascher dachte einen Augenblick nach, ehe er antwortete: »Ja. Aber bedenke: Wenn du jemanden liebst, musst du seine Bedürfnisse wichtiger nehmen als deine eigenen. Lieben heißt geben. Wichtig ist nicht, dass du mit ihm machen kannst, was du willst, sondern dass du tust, was gut für es ist. Wenn du das beachtest, wirst du das Richtige tun.«

»Wie soll ich es nennen?«, fragte Kaleb, dem das Herz so voll war, dass er sich etwas Einfacherem zuwenden musste.

Sein Vater sagte: »Es gehört dir. Seinen Namen musst *du* ihm geben.«

Kaleb blickte zu seinem Lamm hinunter, das inzwischen schon wieder schlief, den Kopf auf Kalebs Schenkel gebettet, und er dachte an die verschiedenen Namen, die sein Vater den Schafen gab. Es waren keine weltbewegenden Namen, einfach Namen, wie sie die Menschen trugen, oder Namen, die mit bestimmten Eigenschaften zusammenhingen.

Wenn ein Schaf träge war, rief der Hirte es vielleicht ein paar Mal an: »Nun komm schon, du Faulpelz«, und da hatte es gleich den Namen »Faulpelz« bis zu seinem Lebensende, selbst wenn es sich vielleicht später änderte.

Ein Schaf hieß »Prinzessin«, weil es das schönste Tier der Herde war, mit Augen, die an Rehaugen erinnerten, dazu einem rehbraunen Fell und einem wohlgeformten Körper.

Kaleb überlegte hin und her, erfand und verwarf immer neue Namen und fragte, weil ein Gedanke ihm ständig durch den Kopf ging, schließlich seinen Vater: »Meinst du, ich kann es Isaak nennen, wegen des Schafbocks für Isaak? Meinst du, das ist ein guter Name für es?«

»Es ist ein sehr guter Name!«, bestätigte Ascher. »Unser Vorfahre Isaak, so wird berichtet, bekam seinen Namen, weil er ›Er lacht‹ bedeutet, und seine Mutter Sara sagte, dieser Sohn werde Lachen in ihr Leben bringen. Vielleicht bringt dieses Lamm auch in dein Leben Lachen.«

Und wie das Lamm Lachen in Kalebs Leben brachte, sobald es kräftig genug war, seine Umwelt wahrzunehmen! Süße Milch und die warme Sonne stärkten es Tag für Tag, und das Lamm spürte das zuerst in seinen dünnen Beinen.

Es war zu komisch zuzusehen, wie Isaak versuchte, Bewegungen zu machen, die er wenige Stunden nach seiner Geburt hätte beherrschen sollen, die ihm aber Tage später immer noch schwerfielen.

Die kleinsten Lämmer hüpften und sprangen herum, ohne das Gleichgewicht zu verlieren. Isaak dagegen war wegen seiner Schwäche so ungeschickt, dass er ständig auf die Nase fiel oder über seine eigenen Beine stolperte, und Kaleb konnte sich nicht halten vor Lachen.

Wenn das Lamm Kalebs Gelächter hörte, blickte es ihn so verwundert an – die Beine breit gespreizt und unsicher schwankend –, dass es noch komischer aussah und den Jungen noch mehr zum Lachen brachte. Doch als es kräftiger wurde, hatte Kaleb keinen Grund mehr, über seine Ungeschicklichkeit zu lachen. Wenn Kaleb lachte, dann vor Freude darüber, dass Isaak ebenso trittsicher wurde und ebenso gut das Gleichgewicht halten konnte wie die anderen Lämmer der Herde.

Lachen aus Freude ist das beste Lachen, und Ascher war froh, als er die Freude in der Stimme seines Sohnes bemerkte. In den Jahren, die sie gemeinsam verbracht hatten, hatte er sie nicht oft gehört. In ihrem Hirtenleben gab es nicht viel zu lachen. Da tat es dem Herzen des Hirten wohl, seinen Sohn so zu hören und ihm die Freude anzusehen, die ihn erfüllte, weil ihm das Lamm gehörte.

Kaleb war bald auch überzeugt, dass das Lamm in der Herde am besten aufgehoben sei, wenn ein Mutterschaf bereit war, es als sein Lamm anzunehmen. Die Worte seines Vaters über die Bedeutung der Liebe gingen ihm nicht aus dem Sinn, und er wusste, dass es unrecht wäre, Isaak von seinen Artgenossen fernzuhalten. Es war seine erste schwere Entscheidung, und er betete: »Bitte, Herr, hilf mir, das Richtige zu tun«, ehe er seinen Entschluss fasste.

Längst musste Klein-Isaak nicht mehr mit der Schnauze bis an die Zitze herangeführt und dort festgehalten werden. Er war jetzt selbst eifrig auf seine Milch bedacht, und Kaleb lachte glücklich, wenn er sah, wie der Bursche ungeduldig aufstampfte und aufgeregt mit seinem langen Schwanz wackelte, weil die Milch nicht schnell genug floss.

Das Mutterschaf schien willig, ihn anzunehmen, obwohl es schon ein eigenes Lamm hatte, das größer als Isaak war. Während das weiße Lamm auf der einen Seite saugte, stillte auf der anderen Seite ihr eigenes geflecktes Junges seinen Hunger. Obwohl es Kaleb tief in der Seele schmerzte, war er bereit, Isaak mit seiner Pflegemutter und ihrem Jungen zur Herde zurückkehren zu lassen.

Nur – Isaak schien ganz und gar nicht überzeugt, dass er in die Herde gehörte. Beim Mutterschaf saugen und sich den kleinen Bauch füllen – gewiss, das tat er nur zu gern. Doch sobald er satt war, suchte er wieder Kalebs Gesellschaft, entschlossen, ihm – und nur ihm – auf Schritt und Tritt zu folgen.

Kaleb freute sich natürlich. Aber musste er nicht versuchen, Isaak an die Herde zu gewöhnen? Er bemühte sich, ließ das Lamm einmal sogar mitten in der Herde stehen und stahl sich unbemerkt davon. Jetzt musste es doch Anschluss an die Herde finden! Aber nein. Isaak starrte seine Artgenossen fassungslos, mit angstgeweiteten Augen an, die Ohren gespitzt. Dann sperrte er weit sein Maul auf und blökte herzerweichend nach der einzigen »Mutter«, der er sich zugehörig fühlte.

»Du sollst doch bei den anderen bleiben!«, schimpfte Kaleb, als er ihn so verängstigt und allein dastehen sah und ihm zu Hilfe eilte. Doch die Freude in seiner Stimme konnte er nicht verbergen.

Als er seinem Vater erzählte, wie er versucht hatte, Isaak in die Herde einzugliedern, musste Ascher über Kalebs triumphierende Schlussbemerkung lachen: »Aber er will bei mir bleiben. Das darf er doch, oder?«

»Ich wüsste nicht, wie du ihn daran hindern könntest«, meinte Ascher gutmütig. »Ob es dir gefällt oder nicht – dieses Lamm hat dich adoptiert. Lass dich nur nicht dadurch von deiner Arbeit ablenken!«

Im Schurgehege

Der Frühling war die beste Jahreszeit. Dann grünte und blühte die Wildnis, und die Schafe konnten überall nach Herzenslust grasen. Sie brauchten sich kaum zu bewegen, um sich mit bunten Wildblumen und saftigen Kräutern den Bauch zu füllen. Die Herde bot ein Bild der Zufriedenheit.

Die Sonne wärmte bereits, hatte aber noch nicht ihre Sommerkraft, die die Blumen welken und das Gras verdorren ließ. Wenn es so weit war, gab es Streit um jeden Grashalm und jedes schattige Plätzchen.

Als wüssten die Schafe, dass die gute Zeit nicht immer andauern würde, fraßen sie von morgens bis abends saftige Blätter und Halme. Die Lämmer senkten ihre Köpfe und ahmten damit ihre Mütter nach, wenn auch nicht so ernsthaft, war doch Milch immer noch ihre Hauptnahrung.

Je kräftiger und größer Kalebs Lamm wurde, desto häufiger entfernte es sich von Kalebs Seite, um sich in der Herde zu vergnügen. Das Blöken der anderen Lämmer zog Isaak an, während er die Rufe der älteren Schafe zu überhören schien. Er gesellte sich gern zu seinen Altersgenossen und spielte mit ihnen.

Kaleb freute sich, als sich Isaak an den Raufereien der übrigen Lämmer zu beteiligen begann, und feuerte ihn lachend bei seinen Scheinkämpfen an. Sehr beliebt war das Spiel, bei dem eines von ihnen einen Erdhügel in Besitz nahm, sich breitbeinig darauf stellte und laut blökend verkündete, dass dieses Stückchen Erde ihm gehöre, ihm ganz allein.

Isaak spielte dieses Spiel besonders begeistert, als sei er fest entschlossen, eines Tages der Leithammel der Herde zu werden. Er ließ keinen Erdhügel, keinen Felsblock aus. Jeden musste er erklimmen, und dann stand er mit kampfbereit gesenktem Kopf da und verteidigte wild entschlossen seine Eroberung. Schon begannen die kleinen Hörner zu wachsen, und Isaak schüttelte stolz den Kopf, als wisse er bereits, wie er sie eines Tages zu benutzen gedenke.

Wenn ein anderes Lamm ihn von seinem Hügel vertreiben wollte, entbrannte ein heißer Kampf. Dann wurde Kopf gegen Kopf gepresst, sodass die Augen einander fast berührten, und beide Tiere versuchten mit aller Kraft, einander zurückzudrängen. Das dauerte so lange, bis eines von beiden aufgab oder die Lust an dem Spiel verlor oder den Ruf seiner Mutter vernahm.

Irgendwann einmal wurde Isaak müde, so wie alle Lämmer früher oder später. Dann suchte er Kaleb und legte sich irgendwo in seiner Nähe schlafen, statt bei seinen Genossen zu bleiben. Er kannte inzwischen seine Pflegemutter, und wenn er Hunger hatte, machte er sich auf die Suche nach ihr. Doch sonst brauchte er sie nicht, sondern schloss sich ganz selbstverständlich Kaleb an.

Isaak wuchs rasch und war, wie Kalebs Vater vorausgesagt hatte, das schönste Böckchen dieses Frühlings. Nichts erinnerte mehr an die ersten schweren Tage. Er war groß und wohlgeformt, und seine Wolle war fleckenlos weiß.

Es gab noch andere weiße Lämmer, aber keines war so

fehlerlos wie Isaak. Die meisten hatten eine braune Stelle auf dem Kopf oder eine schwarze an den Beinen oder Flecken am Rumpf; Isaak aber war von dem dunkleren Ring um die Nase bis zur Schwanzspitze ganz weiß.

Noch nie waren Kaleb die Unterschiede zwischen den einzelnen Lämmern aufgefallen. In diesem Jahr bemerkte er sie, und als er mit seinem Vater darüber sprach – und dabei immer wieder die Vorzüge seines Lammes hervorhob –, lächelte Ascher und sagte zufrieden: »Ich habe doch gewusst, dass das Lamm einen Hirten aus dir machen würde.«

Kaleb war sehr stolz.

Er verglich sein Lamm mit den übrigen Lämmern und bemerkte dabei, wie sehr sich jedes einzelne von allen anderen unterschied, nicht nur in der Zeichnung, sondern auch im Gesichtsausdruck und im Wesen. Da begriff er plötzlich, woher sein Vater wusste, auf welche Tiere er besonders sorgfältig achten musste und welche er sich selbst überlassen konnte.

Manche sahen hinterlistig aus, manche dumm, manche nachdenklich. Einige hatten einen überheblichen Gesichtsausdruck, andere einen sehr unterwürfigen. Manchen sah man an, dass sie eigensinnig waren und für Aufregung sorgten; anderen, dass sie gern träumten und den Anschluss an die Herde verloren; wieder anderen, dass sie gern eigene Wege gingen.

Es erleichtert die Arbeit des Hirten, wenn er die Schafe kennt. Als Kaleb das entdeckte, wollte er sie plötzlich alle möglichst gut kennenlernen und dann von seinem Vater wissen, ob er sie richtig beurteilte.

Oft stimmte ihm sein Vater zu. Bei anderen Gelegenheiten machte er Kaleb auf Dinge aufmerksam, die ihm entgangen waren.

So konnte es geschehen, dass Kaleb auf ein Schaf deutete und sagte: »Das dahinten, das mit der langen Nase – dem sieht man an, dass es sich als Herrscher aufspielt.«

Und Ascher antwortete: »Ja, es hat ein energisches Gesicht. Aber sieh dir einmal seine Augen an! Sie sind ganz unruhig. Es setzt sich durch, solange sich niemand wehrt. Doch sobald ihm jemand entgegentritt, zieht es den Schwanz ein und verschwindet. Beobachte es einmal, dann siehst du es selbst.«

Kaleb hielt die Augen offen, und je mehr er das tat, desto besser lernte er die Schafe kennen und desto mehr hatte er seinem Vater zu erzählen.

Dieses Miteinanderreden brachte eine ganz neue Freude in Kalebs Leben. So oft hatte er das Gefühl gehabt, sein Vater sei ein harter Mann, ein Fremder, dem seine Schafe mehr am Herzen lagen als sein eigener Sohn. Doch als Kaleb nun anfing, mit ihm für die Herde zu sorgen und seine Gedanken und Gefühle mit ihm zu teilen, da wurden Vater und Sohn Freunde.

Was für ein herrlicher Frühling das war! Plötzlich hatte jeder Tag einen Sinn. Und wie sein Lamm entdeckte auch Kaleb täglich etwas Neues und wurde immer sicherer. Auch zum Spielen blieb ihm genug Zeit.

Dass er keine Spielkameraden hatte, war bisher Kalebs ganz großer Kummer gewesen. Daheim hatte er mit seinen jüngeren Schwestern gespielt. Damals hatte er stets im Mittelpunkt gestanden, wusste seine Mutter doch, wie bald sie sich von ihm würde trennen müssen. Der Hirte aber hatte vergessen, wie sich das Herz des Jungen nach jemandem sehnt, mit dem er seine Kräfte messen, seine Freuden und Leiden teilen und seinen Mut erproben kann.

Nun hatte Kaleb das Lamm, das in seinen Gliedern dasselbe Verlangen spürte wie er: zu laufen und zu springen und zu jagen und Scheinkämpfe auszufechten.

Kaleb und Isaak konnten herrlich miteinander spielen. Sie jagten einander und rangen miteinander. Das Lamm probierte seine kleinen Hörner an Kaleb aus, und Kaleb spannte alle Muskeln an, um Isaak zu greifen. Auch wenn Isaak nicht lachen konnte wie Kaleb, freute er sich doch offensichtlich ebenso wie er. Das bewies er mit seinem aufgeregten Blöken, seinem Aufstampfen und seinem wackelnden Schwanz.

Kaleb spielte mit seinem Lamm, wie er in seinem Dorf mit den Jungen gespielt hätte – wenn es dort Jungen zum Spielen gegeben hätte. Doch das hebräische Volk erlebte eine schwere Zeit, und Jungen spielten nicht auf der Straße. Die meisten von ihnen arbeiteten für ägyptische Herren, wenn sie in Kalebs Alter waren, es sei denn, sie hatten einen Hirten zum Vater, der sie mitnahm auf seiner Wanderung von Weideplatz zu Weideplatz, sodass die Ägypter sie nicht sahen.

Aus seines Vaters Gebeten erfuhr Kaleb, dass sein Volk unfreiwillig im Land Ägypten blieb und mit Gewalt dort festgehalten wurde. Nur aus diesen Gebeten wusste er, dass Gott versprochen hatte, sie nicht zu vergessen und sie eines Tages aus dem Land der Sklaverei in die Freiheit zu führen.

Als Kaleb seinen Vater danach fragte, erzählte Ascher ihm, wie vor vielen, vielen Generationen Josef als Sklave an die Ägypter verkauft worden war. »Aber weil Gott ihn liebte, machte er ihn zu einem großen Mann, der beim Pharao sehr beliebt war.«

Kaleb hörte die Geschichte von Josef mit großer Spannung, war dieser doch ein Enkel Isaaks und vom Sklaven zum zweitwichtigsten Mann im ägyptischen Reich aufgestiegen. Josef hatte überaus bedeutungsvolle Träume, und Gott schenkte ihm die Fähigkeit, anderer Leute Träume zu deuten. Wegen dieser Gabe konnte er Ägypten vor einer schrecklichen Hungersnot bewahren. Damals kam Josefs Familie, seine Eltern und Brüder, nach Ägypten, und der Pharao behandelte sie freundlich, weil er Josef dankbar war.

»Seither aber sind die Ägypter eifersüchtig auf uns geworden, weil sie gemerkt haben, dass unser Gott sein Versprechen hält und uns zu seinem starken Volk macht, während die Götzen, die sie anbeten, nichts vollbringen.«

»Was wird denn geschehen, wenn wir frei sind?«, fragte Kaleb.

»Dann können wir nach Hause, wann und so oft wir wollen. Wir müssen uns nicht mehr von deiner Mutter und deinen Schwestern fernhalten und uns fragen, wie es ihnen wohl gehen mag. Und sie müssen keine Angst mehr um uns haben und sich sorgen, die Ägypter könnten uns eines Tages umbringen.«

Ascher erklärte, dass alle hebräischen Knaben vor den Ägyptern verborgen werden mussten, weil der Pharao angeordnet hatte, sie alle gleich nach der Geburt zu töten.

»Ach, bin ich deshalb hier bei dir? Gehen wir darum

fast nie nach Hause?« Nun ging Kaleb endlich ein Licht auf.

»Ja.«

»Ich bin froh, dass ich hier bei dir bin«, sagte Kaleb und meinte es zum ersten Mal auch wirklich so. Das hatte das Isaak-Lamm fertiggebracht.

Sobald die Zeit des Lammens vorbei war und auch die jüngsten Lämmer kräftig genug waren, um durch die Steppe zu ziehen, führte Ascher seine Herde zum Schur-Gehege. Dies war gemeinschaftliches Weideland, zu dem um diese Jahreszeit alle Hirten der Gegend ihre Herden brachten. Dort halfen sie einander bei der Schafschur. Sie tauschten Böcke und Mutterschafe, um frisches Blut in ihre Herden zu bringen; und, was genauso wichtig war, sie tauschten Nachrichten aus.

Die Schafschur war immer eine aufregende Zeit, auch für Kaleb. Dann traf er andere Jungen in seinem Alter, und wenn erst einmal die anfängliche Schüchternheit überwunden war, erzählten sie einander ihre Abenteuer, spielten miteinander und brüsteten sich mit ihren Heldentaten – wie ihre Väter und Onkel.

In diesem Jahr wollte Kaleb sich den anderen Jungen gegenüber mit seinem Lamm brüsten. Es war das erste Mal, dass er etwas hatte, dessen er sich rühmen konnte.

Die Jungen ahmten ihre Väter nach. Sie untersuchten Isaak, tasteten seine Muskeln und Knochen ab. Sie traten einen Schritt zurück, um sein Aussehen zu beurteilen. Sie fuhren mit ihren Fingern durch die wachsende Wolle. Dann nickten sie weise wie ihre Väter und sagten, Isaak sei ein feines Lamm – so weiß, so kräftig, so fehlerlos. Kaleb war zufrieden.

Bei der Schafschur ging es laut zu. Die Schafe blökten aus Angst, Protest und Verwirrung. Die Mütter wurden von ihren Kindern getrennt, und die Lämmer erkannten sie anschließend nicht mehr, weil sie so anders aussahen. Ja, die vom Gewicht der Wolle befreiten Tiere schienen sich selbst nicht mehr zu kennen; sie hüpften und sprangen umher. Die Lämmer sahen ihnen mit weit aufgerissenen Augen zu, waren sie doch daran gewohnt, dass sich die Mutterschafe langsam und bedächtig bewegten.

Kalebs Lamm erkannte seine Pflegemutter ohne ihre Wollpracht nicht mehr, und es gab ein großes Hin und Her und ein Geblöke, bevor Isaak sich schließlich sicher war, dass er sich seinen hungrigen Bauch bei ihr füllen durfte und nicht weggestoßen werden würde.

Abends waren alle Männer müde. Da war keiner, dem nicht der Rücken schmerzte und vom vielen Lärm der Kopf wehtat. Doch das alles war vergessen, sobald sie zusammenkamen, um miteinander zu essen und ihren Gott zu loben – jenen geheimnisvollen Gott, der ihnen so viel bedeutete und den Kaleb doch kaum kannte.

In diesem Jahr erklang das Lob lauter, als Kaleb es je gehört hatte. Sonst hatten stets die Klagen das Lob übertönt, wenn die Männer sich gegenseitig an all das Unrecht und die Unterdrückung erinnerten, die ihnen seit Generationen von den Ägyptern zugefügt wurden. Da war von ermordeten Söhnen die Rede, von Brüdern, die zu Tode geschunden worden waren, von Frauen und Müttern, die nichts als Kummer und Leid kannten. Diesmal jedoch wurde laut Gott gepriesen, denn man hatte erfahren, dass er einen Boten zum Pharao geschickt hatte. Endlich hatte der Herr ihre Gebete gehört! Endlich hatte er sie erhört und diesen Mann beauftragt, in seinem Namen Freiheit für sein Volk zu verlangen.

Kaleb wusste, dass Gottes Name nie ausgesprochen werden durfte. Doch Gott hatte diesem Mann, der Mose hieß, gesagt, mit welchem Namen er ihn ansprechen konnte: »Ich bin, der ich bin.« Dieser Name war so geheimnisvoll wie Gott selbst.

Während der Schafschur bewachten die Hirten nachts abwechselnd den Eingang zu dem Pferch, in dem alle Schafe gemeinsam untergebracht waren. Da gab es kein Tor, sondern nur eine Lücke in der Mauer. Nachts setzte, stellte oder legte sich der Hirte, der Dienst hatte, mitten in diese Lücke. Die Schafe versuchten nicht, an ihm vorbei ins Freie zu gelangen; und kein wildes Tier und kein Dieb konnte unbemerkt in den Pferch eindringen.

Als Ascher an der Reihe war, den Eingang zu bewachen, schlief Kaleb neben ihm auf der Erde, und Isaak schlief neben Kaleb am äußersten Rand des Pferchs. Vor dem Einschlafen fragte Kaleb seinen Vater: »Wer ist eigentlich dieser Mose, von dem alle sprechen?«

Ascher sagte: »Er ist ein Hirte wie wir, aber Gott hat ihn zum Pharao geschickt, damit er ihm sage, dass er uns ziehen lassen soll. Wir leben in einer aufregenden Zeit, mein Junge. Endlich, endlich hat der Herr uns gehört.«

»Aber ist Gott richtig gekommen und hat mit Mose geredet?«, wunderte sich Kaleb. Er verstand nicht, wie so etwas geschehen konnte.

Wie sah Gott aus? Woher wusste der Hirte Mose, dass es Gott war?

»Er sprach ihn aus einem brennenden Dornstrauch in der Wüste an. Der Strauch stand in hellen Flammen, aber er verbrannte nicht. Kein einziger Zweig wurde vom Feuer verzehrt.«

So etwas konnte sich Kaleb gar nicht vorstellen.

»Wird der Pharao auf Gott hören?«, fragte er. »Wird er uns ziehen lassen?«

»Ja«, erwiderte Ascher, »er wird hören. Jeder muss auf Gott hören.«

»Wann werden wir gehen?«, erkundigte sich Kaleb.

»Wann, das weiß ich nicht. Aber es wird geschehen, sobald der Pharao weiß, dass der Herr Gott ist, stärker als seine Götter, stärker als sein Heer, stärker als sein Volk.«

»Wird das noch lange dauern?«

»Vielleicht. Der Pharao hat ein steinernes Herz.«

»Und wohin werden wir gehen?«

»In ein anderes Land, das der Herr für uns bereithat. Das Land ist besser als dieses.« Ascher war sich ganz sicher.

»Nehmen wir die Schafe mit?«, wollte Kaleb wissen.

»Aber sicher.«

»Und mein Lamm, Isaak – kommt er auch mit?«

»Natürlich. Wenn wir ein freies Volk sind, werden Schafe und Hirten noch nötiger gebraucht werden.«

»Und die Mutter und die Schwestern, sie werden auch mitkommen, oder?«

»Ja, und wir werden ohne Angst zusammenleben. Noch in diesem Winter werden wir sie zu Hause besuchen. Vielleicht werden wir uns nie wieder trennen müssen. Wir werden in einer neuen Heimat ein neues Zuhause haben. Das verdanken wir unserem Gott, der unsere Gebete erhört hat.«

Kaleb kamen keine weiteren Fragen in den Sinn, und er schlief ein. Das, was sein Vater erzählt hatte, und alles, was er von den Hirten gehört hatte, erfüllte so sehr seinen Kopf und sein Herz, dass es ihn bis in seine Träume hinein verfolgte.

Er träumte, er sei ein Hirte wie sein Vater, groß und breitschultrig, mit schwarzem Bart und mit einer Herde, die ihm ganz allein gehörte. Natürlich war das Isaak-Lamm der Vater der ganzen Herde. Doch irgendwie war das Lamm in seinem Traum nicht gewachsen. Es war immer noch so klein wie im wirklichen Leben, trank immer noch bei seiner Pflegemutter, tollte immer noch herum, führte Scheinkämpfe und spielte sich als wilder alter Bock auf. So waren Träume nun einmal. Sie ergaben einen Sinn, solange man schlief, doch sobald man erwachte, merkte man, wie seltsam sie waren.

Kaleb erzählte Isaak seinen Traum. Natürlich verstand das Lamm ihn nicht, aber es rieb seinen kleinen Kopf an Kalebs Beinen, stieß ihn an und stampfte mit den Füßen, sodass der Junge hell auflachen musste.

Durchs dunkle Tal

Als die Schafschur beendet war, war es Zeit, die Herden auf die Sommerweiden zu treiben. Jeden Tag schien die Sonne länger vom Himmel herab; jeden Tag wurde es heißer. Gras und Blumen, die nach dem Frühjahrsregen aus dem Boden hervorgebrochen waren, verdorrten, soweit sie nicht schon abgenagt waren. Die Schafe brauchten besseres Weideland, und Ascher wusste, wo das zu finden war.

Es folgten Tage, an denen sie langsam durch die Steppe zogen, immer nur so schnell, wie es die Schafe vermochten. Wenn ein Lamm müde war und nicht mehr weiterkonnte, legte Ascher es sich über die Schultern und trug es. Kaleb war noch nicht stark genug dafür, denn die Lämmer waren inzwischen ziemlich groß, aber er hatte seine eigene Last auf dem Rücken – den Kochtopf und den Sack mit Hafermehl –, die schwerer und schwerer zu werden schien, während die Sonne endlos auf ihn niederbrannte.

Mittags suchten sie nach schattigen Lagerplätzen. Dann drängten sich alle Schafe unter einem Baum mit weit ausladenden Ästen oder im Schatten von Felsblöcken zusammen. Wie spärlich der Schatten auch sein mochte, er war immer noch besser als die unbarmherzigen Sonnenstrahlen. Oft spannte Ascher seinen Überwurf wie ein Zelt über seinen Hirtenstab, um seinen Schafen auf diese Weise wenigstens ein wenig Schutz zu bieten.

Morgens, bevor die Sonne am Himmel emporgestiegen war, rieb Ascher den Kopf jedes Schafes mit Öl ein, um es so vor einem Hitzschlag zu schützen. Kaleb half ihm dabei. Keines durfte übersehen werden. Ein langer Tag in der Sonne konnte ein Schaf ebenso umbringen wie einen Menschen, und die Schafe hatten keine Kopfbedeckung, wie Kaleb und sein Vater sie hatten.

Die Sommermonate waren eine harte Zeit. Da gab es wenig Grün und noch weniger Wasser. Sonne, Hitze und Staub machten die Schafe unruhig. Sie konnten nicht still liegen und schlafen, weil sie so hungrig waren. Selbst Kalebs Lamm entfernte sich stundenlang von dem Jungen und suchte den Boden nach Gräsern und Halmen ab, mit denen es sich seinen kleinen Bauch füllen konnte.

Wenn Kaleb oder Ascher einen belaubten Baum erblickten, versuchten sie mit ihrem Hirtenstab die Blätter von den Ästen zu schütteln, und die Schafe drängten sich rasch um sie. Sie ließen den Hirten kaum aus den Augen, wenn sie hungrig waren, und vertrauten Ascher, dass er für sie sorgen würde. Kaleb ließ gewöhnlich ein paar Blätter in seinem Gewand verschwinden, um sie Isaak zum Abendessen anzubieten. Bald rechnete das Lamm fest mit irgendeinem Leckerbissen, bevor es sich schlafen legte.

Ascher ging stets vor der Herde her und ließ seine Augen wachsam umherschweifen, um mögliche Gefahren früh zu erkennen und gutes Weideland ausfindig zu machen. Wenn sie auf einen grünen Flecken an einer Wasserstelle oder einem Bach stießen, musste der Hirte das Gelände nach Schlangen und giftigen Pflanzen absuchen, ehe die Schafe dort grasen konnten.

In Erdlöchern hausten Hornvipern. Wenn ein Schaf beim Grasen zufällig einer von ihnen zu nahe kam, konnte es geschehen, dass die Schlange blitzschnell aus ihrem Versteck hervorschoss und den Störenfried in die Nase biss, sodass er wenige Stunden später starb. Wenn Ascher ein Loch fand, in dem er ein Vipernnest vermutete, goss er etwas Öl daneben und zündete es an. Der Gestank und die Flammen trieben die Schlange heraus, und Ascher tötete sie mit seinem Hirtenstab.

Er zeigte Kaleb genau, woran er die verschiedenen gefährlichen Pflanzen erkennen konnte, und schärfte ihm ein, dass ein nachlässiger Hirte an einem einzigen Tag seine ganze Herde verlieren konnte, wenn er einen neuen Weideplatz nicht zuerst nach giftigen Kräutern absuchte.

»Warum wissen denn die Schafe nicht selbst, dass sie giftig sind?«, wunderte sich Kaleb.

»Weil sie sich darauf verlassen, dass wir sie beschützen«, erklärte ihm sein Vater.

Wie freuten sie sich, wenn sie einen grünen Weideplatz gefunden hatten. Denn nachdem sich die Schafe satt gefressen hatten, legten sie sich hin, käuten wieder und schliefen. Dann konnten auch Ascher und Kaleb ruhen und mussten nicht mehr ununterbrochen auf die Tiere achtgeben. Doch je länger die Tage wurden, desto seltener fanden sie Weiden, die noch nicht vertrocknet oder schon von einer anderen Herde abgegrast waren.

»Es ist Zeit, in die Hügel zu ziehen«, sagte Ascher eines Morgens. Kaleb erschrak bei diesen Worten.

Vor nichts hatte er mehr Angst als vor dem finsteren Tal, durch das sie zweimal im Jahr hindurchmussten.

»Tal des Todesschattens« wurde die Schlucht genannt, die die Ebene mit dem Hügelland verband. Selbst die Schafe fürchteten sich davor. Sie drängten sich zusammen, blökten ununterbrochen, und in ihren Augen stand die Angst, die auch Kalebs Herz erfüllte.

Das »Tal des Todesschattens« war eine finstere, kalte, enge Schlucht mit steilen Wänden, überhängenden Felsen und tiefen Höhlen auf beiden Seiten. Auf jedem der Felsen konnte ein Löwe oder ein Gepard lauern, der plötzlich, ohne Vorwarnung, losschnellte, auf dem Rücken eines Schafes landete und ihm das Genick brach.

Auch hörte man oft von Räuberbanden, die einsamen Hirten in der Schlucht auflauerten, sie töteten und die Schafe stahlen.

Kaleb wusste, dass auch sein Vater das dunkle Tal lieber gemieden hätte – doch es gab keinen anderen Weg. Am schlimmsten fand Kaleb, dass er nicht neben seinem Vater hergehen und nach seiner Hand greifen konnte, wenn ihn die Angst überfiel. Aber jemand musste hinter der Herde hergehen, achtgeben, dass sich kein Schaf von den übrigen absonderte, und sich um die Tiere kümmern, die vom Weg abkamen oder plötzlich lahmten. Dies war Kalebs Aufgabe, und sie fiel ihm Jahr für Jahr schwerer.

Sein Herz pochte laut, während er immer wieder zu den Felsvorsprüngen hinaufschaute. Lauerte dort ein Raubtier? Er konnte nichts erkennen. Was sollte er machen, wenn eines herabsprang? Er hatte sein Messer. Und seine Schleuder. Doch was richtete ein Junge schon gegen einen Löwen, einen Wolf oder gar einen Räuber aus …?

Nur einen Trost hatte er, und diesen einen Trost hatten auch die Schafe – die Stimme des Hirten und das Geräusch seines Stabes, mit dem er von Zeit zu Zeit auf den Boden schlug.

Auch wenn Ascher nicht mehr zu sehen war, hörte man doch ständig seine Stimme: »Kommt, meine Lieben! Kommt hinter mir her! Wo bleibst du denn, Flecky? Hierher, Schwarzfuß!« So und ähnlich tönte es. Oder Ascher sang Loblieder, die die Güte Gottes priesen und den Schafen genauso wie dem Hirtenjungen tröstlich in den Ohren klangen.

Der Klang seiner Stimme und das Geräusch seines Steckens bewiesen, dass alles gut war und keine Gefahr drohte. Wenn Ascher einmal mehr als einen Augenblick verstummte, wurden Kaleb und die Schafe unruhig. Dann blökten die Schafe und stießen und schoben einander, weil jedes nach vorn wollte und Angst hatte, den Anschluss zu verlieren. In solchen Augenblicken drohten sie sich gegenseitig vom Weg abzudrängen. Mit Schaudern erinnerte sich Kaleb daran, wie bei einer solchen Gelegenheit drei Schafe gleichzeitig in eine tiefe Felsspalte, die sich neben dem schmalen Weg hinzog, zu Tode gestürzt waren.

Es war seine Aufgabe, dafür zu sorgen, dass die Herde ruhig blieb. Doch wie kann man andere beruhigen, wenn einem selbst die Angst die Kehle zuschnürt und das Herz so rast, dass es einem davon schwindlig wird? Manchmal schien Kaleb die Zunge am Gaumen zu kleben, und er brachte keinen Ton heraus. Doch dann hörte er auf einmal das Pochen des Hirtenstabes oder die Stimme des Hirten, und alles war wieder gut. Sie konnten weiterziehen.

In diesem Jahr war es besser als in den vergangenen Jahren, weil Kaleb einen Begleiter hatte. Isaak trottete neben ihm her, ganz dicht, als müsse er Kalebs Nähe spüren. Ab und zu blökte er wie die anderen, doch dann blickte er zu Kaleb empor und beruhigte sich wieder.

Es war gut, das Lamm neben sich zu haben, auch wenn es ihm im Kampf gegen einen Löwen natürlich nicht beistehen konnte. Doch irgendwie fühlte sich Kaleb dadurch mutiger. Er würde nicht zulassen, dass irgendein wildes Tier oder ein Räuber sein Lamm stahl!

Er hielt die ganze Zeit über einen Stein in seiner Schleuder. Seine Augen fuhren wachsam hin und her. Und mit den Worten, mit denen er Isaak immer wieder Mut zusprach, munterte er auch sich selbst auf.

Gleich hinter der Schlucht entsprang eine klare, kalte Quelle den Felsen. Das Wasser lief über das Gestein und bildete Pfützen zwischen den Felsbrocken. Gemeinsam räumten Ascher und Kaleb einige Steine beiseite, sodass größere Tümpel entstanden, aus denen die Schafe trinken konnten. Sie tranken nicht aus schnell fließenden Gewässern, vor denen sie sich instinktiv fürchteten, sondern konnten nur in tiefen Zügen aus stillen Wassern trinken.

Was für eine Freude war es doch, zwischen den Felsen Dämme zu errichten und Tümpel anzulegen, auch wenn das viel Anstrengung kostete. Wasser war rar und deshalb kostbar. Es erfüllte Kaleb mit einer Freude, die ihn die Zeit der Angst vergessen ließ, als er so viel Wasser sah, sein Rauschen hörte und es zwischen seinen Zehen und Fingern spürte.

Für den Rest des Sommers blieben sie jenseits der

Schlucht, wanderten von Weide zu Weide, stets mit geschärften Sinnen nach Raubtieren Ausschau haltend. Kaleb übte täglich mit seiner Schleuder, die eine wirkungsvolle Waffe gegen jeden Feind war, wenn man damit umzugehen wusste. Ein kleiner Stein, der durch die Luft pfiff, konnte einen Löwen zur Strecke bringen, wenn er ihn genau zwischen den Augen traf.

Mithilfe der Schleuder konnte man auch Schafe daran hindern, sich von der Herde zu entfernen. Ein Kieselstein, der kurz vor ihrer Nase auf dem Boden aufschlug, veranlasste sie, schleunigst zum Hirten zurückzukehren, selbst wenn sie vorher seine Stimme ungerührt überhört hatten. Allerdings musste man genau zielen können, sonst konnte es geschehen, dass sie in die falsche Richtung liefen oder gar mit einem gebrochenen Bein liegen blieben, weil der Stein sie dort getroffen hatte.

Während sie von Weide zu Weide zogen, blieb Isaak stets in Kalebs Nähe. Wenn Kaleb besonders saftige Grasbüschel oder Wildblumen entdeckte, riss er sie aus, um sie Isaak zu geben. Als die anderen Schafe das merkten, geschah es immer wieder, dass das eine oder andere von ihnen versuchte, Isaak beiseitezuschieben, um selbst die Leckerbissen zu erhaschen.

Zuerst wollte Kaleb ihnen nichts geben. Aber als er sah, wie hungrig sie waren und wie sie ihm geduldig und voller Hoffnung folgten, musste er doch ein wenig nachgeben. Wenn er viele Leckerbissen fand, versuchte er sie gleichmäßig zu verteilen; allerdings bekam Isaak schließlich doch immer etwas mehr als die anderen.

Auch Ascher fütterte die Schafe mit saftigen Kräutern, und die Tiere, die besonders nahe bei ihm blieben, bekamen am meisten. Ascher zog niemanden vor. Er achtete gar nicht darauf, wessen Lippen ihm die Delikatessen aus der Hand rissen. Doch die klügsten Tiere wussten bald, wann sie etwas Gutes zu erwarten hatten. Dann drängten sie sich um den Hirten und stießen ihn zuweilen mit dem Kopf an, um sich bei ihm in Erinnerung zu rufen. Ascher wusste natürlich, dass sie da waren, und ermahnte sie gutmütig, sich etwas zu gedulden.

In diesem Sommer wuchsen sowohl Kaleb als auch sein Lamm. Kaleb wurde größer, kräftiger und selbstbewusster. Isaak entwickelte sich ebenso. Kaleb bekam von seinem Vater mehr Aufgaben anvertraut. Er durfte vor der Herde hergehen und neues Weideland nach Schlangen und Giftpflanzen absuchen. Er durfte allein Wache halten, während sein Vater schlief.

Ascher sagte: »Seit du das Lamm hast, bist du ein viel besserer Hirte. Du hast Isaak gern, deshalb kümmerst du dich um ihn; und darum sorgst du auch viel besser für die anderen Schafe.«

Kaleb strahlte vor Freude über die Worte seines Vaters, so wie er früher vor Scham und Zorn errötet war, wenn Ascher ihn an seine Nachlässigkeit erinnert hatte.

Je mehr Isaak wuchs, desto unabhängiger wurde er. Da seine Pflegemutter längst keine Milch mehr gab, war er wie alle anderen Schafe die meiste Zeit damit beschäftigt, sich seine Nahrung zu suchen. Doch sobald Kaleb ihn rief, hob er den Kopf, als horche er stets mit einem Ohr auf Kalebs Stimme.

Wenn er zu Kaleb blickte, schienen seine Augen zu fragen: »Kaleb ruft mich. Was will er wohl von mir?« Im nächsten Augenblick kam Isaak angerannt, um es herauszufinden. Auch die anderen Schafe hoben die Köpfe, um zu sehen, was geschah; aber sie schienen zu wissen, dass Isaak und Kaleb auf eine ganz besondere Weise zusammengehörten.

In diesem Sommer musste Kaleb auch lernen, wie hart es zuweilen sein kann, als Hirte für das Wohlergehen seiner Schafe zu sorgen. Er wusste, wie sehr sein Vater die Schafe liebte, und doch schien er eines Tages etwas unglaublich Liebloses zu tun. Es betraf ein Schaf, das immer und immer wieder von der Herde davonlief. Stets holten sie es zurück, doch bei der nächsten Gelegenheit stahl es sich wieder davon. Wenn das so weiterging, würde es früher oder später von wilden Tieren zerrissen oder von einem fremden Hirten gestohlen werden, und Ascher und Kaleb mussten ständig Angst um es haben.

Ascher sagte: »Wir haben zwei Möglichkeiten: Wir können es entweder schlachten und selbst essen, statt es den Hyänen oder einem anderen Hirten zu überlassen; oder wir können es auf andere Weise daran hindern, immer wieder davonzulaufen. Was schlägst du vor?«

Kaleb war stolz, dass ihn der Vater nach seiner Meinung fragte. So dachte er gründlich nach, bevor er antwortete. Er war schrecklich wütend auf dieses Schaf, das ihnen das Leben so schwer machte. Doch es war so jung und so dumm. War es da nicht zu hart, es deshalb gleich zu töten?

»Können wir nicht stattdessen versuchen, es am Fortlaufen zu hindern?«, sagte er schließlich.

»Gut, geben wir dem Ausreißer noch eine Chance«, stimmte Ascher zu. »Aber das nächste Mal ist das letzte Mal.«

Es war schrecklich: Schon am folgenden Tag machte sich das Lamm wieder auf und davon, mit gespitzten Ohren und hoch erhobenem Kopf, als suche es hinter dem nächsten oder dem übernächsten Hügel eine Weide, die nur es kenne.

Ascher ging ihm nach, und als er zurückkehrte, trug er es auf seinen Schultern. Eines seiner Beine war offensichtlich gebrochen und hing leblos herab.

»Wie hat es sich denn das Bein gebrochen?«, fragte Kaleb.

»Es hat es sich nicht gebrochen. Ich habe es getan, mit meinem Stecken«, sagte Ascher.

Als er Kalebs entsetztes Gesicht sah, fügte er hinzu: »Es ist nicht immer leicht, für diejenigen zu sorgen, die man lieb hat. Manchmal muss man ihnen Schmerzen zufügen, um sie vor Schlimmerem zu bewahren. Das gebrochene Bein wird heilen, aber dieses Schaf wird nicht mehr fortlaufen.«

Das Schaf mit dem gebrochenen Bein machte Ascher viel Mühe. Sooft sie weiterzogen, musste er es tragen, wenn er es nicht als Beute für die Schakale zurücklassen wollte. Doch er nahm es ohne Murren auf seine Arme, setzte es später wieder vorsichtig ab, brachte ihm selbst das Wasser, wusch ihm damit den Kopf und gab ihm zu trinken.

Viel einfacher wäre es gewesen, das Schaf zu schlachten und zu essen, als sich so mit ihm abzumühen. Kaleb lernte durch all das, was er da sah, dass sein Vater dieses Schaf wirklich liebte, auch wenn er es vorsätzlich hatte verletzen müssen. Später, als der Bruch längst verheilt war, konnte Kaleb beobachten, dass dieses Schaf sich,

wenn sie weiterzogen, am allernächsten bei seinem Vater hielt und ihn anstieß, um Leckerbissen zu erhaschen. Es fürchtete sich nicht vor ihm und trug ihm das Geschehene nicht nach. Es schien fast, als verstände es, warum er das hatte tun müssen.

Hirten berichten am Lagerfeuer

In diesem Sommer begegneten Kaleb und sein Vater anderen Hirten, die mit ihren Herden von weit her gekommen waren. Diese Männer erzählten seltsame und wunderbare Dinge über den Hirten Mose und seinen Bruder Aaron, der als sein Sprecher auftrat. Sie hatten die führenden Männer Israels zusammengerufen und ihnen gesagt, Gott habe ihr Elend gesehen und werde sie befreien.

»Nicht alle glauben das«, sagten die Hirten.

»Wie ist das möglich?«, rief Ascher, der Gott ganz und gar vertraute.

»Nun, als sie Wunder wirkten, um zu beweisen, dass ihre Botschaft von Gott war, da taten die Zauberer des Pharaos dasselbe. Da lachte der Pharao Mose und Aaron nur aus. Seither hat er den Sklaven zweimal so viel Arbeit aufgebürdet, sodass es ihnen jetzt schlechter ergeht als vorher. Die Menschen jammern und sagen: ›Verflucht sei Mose, dass er zu uns gekommen ist!‹«

Kaleb erschrak. Sollte ihr Gott nicht mächtiger sein als Pharaos Zauberer?

Als habe er Kalebs Gedanken gelesen, fuhr einer der Hirten fort: »Andererseits – als Aarons Stab zur Schlange wurde und sich die Stäbe der Zauberer ebenfalls in Schlangen verwandelten, da verschlang Aarons Schlange die übrigen Schlangen.«

»Seht ihr, und genauso wird unser Gott die Ägypter

verschlingen«, lachte Ascher, »und da können dem Pharao all seine Zauberer nicht helfen.«

Kaleb war beruhigt.

»Dann geschah etwas noch Seltsameres«, fuhr der älteste Hirte fort, »etwas, das wir nur gehört haben. Dabei hätte ich das zu gern mit eigenen Augen gesehen.«

»Was denn?«, rief Kaleb, der ganz vergessen hatte, dass man Älteren nicht dazwischenredete. Niemand wies ihn zurecht. Ascher war ebenso gespannt darauf, die Geschichte zu hören, wie der Mann selbst darauf brannte, sie zu erzählen.

»Mit demselben Stab, der zur Schlange geworden war, berührte Mose das Wasser des großen Flusses – und es verwandelte sich in Blut.«

Sein Bruder fügte hinzu: »Man erzählt, dass überall in Ägypten das Wasser in Blut verwandelt wurde, sogar das Wasser in Krügen und Schöpfgefäßen. Könnt ihr euch das vorstellen?«

Kaleb schüttelte sich.

»Aber da wusste der Pharao doch wenigstens, dass dies Gottes Werk war!«, rief Ascher.

»Er sagte, seine eigenen Zauberer könnten dasselbe vollbringen. Er wollte nicht hören, obwohl alle Fische starben und niemand mehr Wasser trinken konnte.«

Ascher lächelte und sagte zuversichtlich: »Ihr werdet sehen, Gott wird sich am Ende als der Stärkere erweisen. Er wird uns ganz gewiss befreien.«

Der alte Hirte fuhr inzwischen fort: »Und dann … dann kamen die Frösche.«

»Frösche?«, rief Kaleb.

»Ja, sie waren überall – kletterten aus dem großen Fluss,

hüpften auf allen Straßen herum, krochen in Kleidungsstücke und Vorräte. Man erzählt sich, dass sogar im Palast des Pharao Frösche waren, ja, selbst in seinem Bett.«

Kaleb lachte laut. War das lustig – Frösche im Bett des Pharao! Er freute sich über diesen Gott, der Humor hatte.

»Aber«, fiel ein junger Hirte ungeduldig ein, »die Zauberer des Pharaos sagten, auch sie könnten im Land Ägypten Frösche erscheinen lassen. Und sie taten es tatsächlich.«

»Wie konnte der Pharao wissen, woher die Frösche kamen, ob von Gott oder den Zauberern?«, fragte Ascher unmutig. Der Ton des Hirten behagte ihm nicht. »Dieser Pharao ist so blind, wie er hartherzig ist. Können seine Zauberer ihn so leicht an der Nase herumführen?«

»Wenn er nur eine Ausrede hat, um nicht auf Gott hören zu müssen …«, antwortete jemand, doch Kaleb unterbrach ihn sogleich.

»Was passierte denn mit all den Fröschen? Sind sie immer noch da?«

»Nein. Der Pharao versprach, unser Volk aus seinem Land hinauszulassen, wenn Mose Gott bitte, die Frösche wegzunehmen.«

»Dann sind wir also frei!«, rief Kaleb, und sein Gesicht strahlte vor Freude. Dann konnten sie also nach Hause gehen! Und seine Mutter könnte sich sein Lamm anschauen! Nie mehr würden sie in Angst leben müssen.

Die Hirten schüttelten den Kopf. Der Alte sagte: »Mose betete, und die Frösche starben. Die Leute mussten sie zu ganzen Bergen zusammenkehren – auf den Straßen, auf den Feldern, in den Innenhöfen des Palastes.

Die toten Frösche verbreiteten einen solchen Gestank, dass die Leute kaum noch atmen konnten. Doch kaum waren die Frösche tot, da fürchtete der Pharao Gott auch schon nicht mehr und widerrief seinen Befehl.«

»Und die Angehörigen unseres Volkes müssen arbeiten, bis sie vor Erschöpfung zusammenbrechen und sterben«, fügte der junge Hirte bitter hinzu.

»Wird der Pharao uns denn nie ziehen lassen?«, rief Kaleb verzweifelt.

»Er wird uns ziehen lassen«, versicherte Ascher. »Niemand kann Gott für immer trotzen.«

»Das sagst du«, fiel ihm der junge Hirte ins Wort. »Ich jedenfalls bin froh, dass ich hier in den Bergen ein freier Mann bin und nicht unten in Ägypten Ziegel brennen muss.«

»Du sprichst, als fürchtetest du Gott ebenso wenig, wie der Pharao es tut«, warf Ascher ihm vor.

»Ich glaube nur, was ich mit eigenen Augen und Ohren sehen und hören kann. Unser Volk ist nun schon so lange in der Sklaverei, ohne dass Gott sich darum gekümmert hat. Und nun kommt dieser Hirte, Mose – ein Kerl, der noch zu allem Überfluss als Ägypter aufgewachsen ist –, und hat mit seinem Gerede alles nur noch schlimmer gemacht.«

Er redete sich immer mehr in Zorn hinein. »Wenn Gott uns wirklich liebte, wenn Gott uns wirklich helfen wollte, dann würde er den Pharao als Strafe für seine falschen Versprechen und seine Lügen einfach tot umfallen lassen. Aber der Pharao genießt das Leben, wird dick und fett, während unsere Leute im Elend umkommen. Das und nichts anderes sehe und höre ich, Bruder.

Solange ich nichts anderes sehe und höre, sorge ich in diesen Hügeln lieber für mich selbst.«

»Vergiss nicht, dass Gott dich hört«, erinnerte ihn Ascher.

»Gott ist taub«, erwiderte der Hirte.

Noch nie in seinem Leben hatte Kaleb jemanden so reden hören, und es jagte ihm Angst ein. Er sah, dass sein Vater erschüttert war. Und er merkte, dass die anderen Hirten nicht wussten, ob sie ihrem Kameraden zustimmen sollten oder nicht.

Kaleb war bisher überzeugt gewesen, dass sein Vater immer recht habe. Nun schoss ihm zum ersten Mal der erschreckende Gedanke durch den Kopf: »Und wenn Vater sich nun irrt?« Wenn Gott machtlos war? Wenn es nicht stimmte, was sein Vater stets geglaubt und gesagt hatte? Dann war nichts mehr so, wie es früher gewesen war. Dann war alles, worauf er sich bisher verlassen hatte, eine einzige große Lüge.

Für Kaleb zerbrach in diesem Augenblick eine ganze Welt. Sein Herz raste, und sein Kopf schmerzte. Ihm war übel, und er sprang auf, um davonzurennen. Er wollte nichts mehr hören.

Wo war Isaak? Isaak, der war wirklich. Das, was man sehen und berühren konnte, das war wirklicher als alles andere, wie der Hirte es gesagt hatte; und Kaleb brauchte im Augenblick verzweifelt etwas Wirkliches, an das er sich klammern konnte.

Isaak schlief, den Kopf auf den Rücken eines anderen Schafs gelegt, doch er wachte auf, als Kaleb ihn rief, streckte sich und kam zu ihm. In seinem wolligen weißen Fell konnte Kaleb sich gut ausweinen.

In jener Nacht wachten Kaleb und sein Vater über alle Schafe, während die anderen Männer schliefen. Ascher wusste, welch ein Kampf im Inneren seines Sohnes tobte. Lange wartete er darauf, dass Kaleb etwas sagen würde. Doch der schwieg beharrlich, weil er sich fürchtete, das auszusprechen, was sein Herz beschwerte.

Aber Ascher wusste Bescheid und sagte schließlich: »Du musst Gott vertrauen.«

»Aber wenn Gott nun taub ist?«, brach es aus Kaleb heraus. »Was passiert dann mit uns? Können wir dann nie nach Hause gehen?«

»Der Pharao ist taub, nicht Gott«, versicherte Ascher.

»Aber woher wissen wir, dass Mose die Wahrheit sagt? Vielleicht ist jene Geschichte vom brennenden Dornbusch – vielleicht ist diese Geschichte ja nur ein Traum. Vielleicht hat er etwas für Wirklichkeit gehalten, das gar nicht wirklich da gewesen ist.«

»Was ist wirklich?«, fragte Ascher.

»Das, was man sehen kann, und das, was man berühren kann. Wie Isaak hier«, erklärte Kaleb trotzig.

»Und wenn du eine Oase siehst, die gar keine ist, wie du genau weißt? Eine Oase mit Bäumen und Zelten und Herden? Ist die wirklich?«

Er erinnerte Kaleb daran, dass man in der Wüste, wenn die Sonne vom Himmel brannte, viele seltsame Dinge sah – Dinge, die nicht wirklich da waren, auch wenn sie wie wirklich aussahen. Andererseits sahen viele wirkliche Dinge unwirklich aus, wenn die Luft vor Hitze flimmerte und die Bäume oder Hügel in der Ferne zu schmelzen schienen.

»Nur ein Narr glaubt nur das, was er mit seinen

Augen sieht«, sagte Ascher. »Kannst du Liebe sehen? Kannst du sie berühren? Kannst du mir sagen, welche Farbe sie hat?«

Kaleb schüttelte den Kopf, und Ascher fuhr fort: »Gott zu vertrauen, ist das Allerbeste. Wir werden bald wissen, ob Mose uns die Wahrheit gesagt oder ob er nur geträumt hat.«

»Aber warum lässt Gott die Menschen unseres Volkes sterben?« Kaleb wollte seinem Vater glauben. Er wollte Gott vertrauen, aber er konnte nicht vergessen, was der junge Hirte gesagt hatte.

»Als Sara davonlief, bist du da losgegangen und hast sie gesucht?«, fragte Ascher.

Kaleb nickte, wusste aber nicht, was das mit Gott und Mose zu tun hatte.

»Hast du sie gefunden?«

»Ja, aber sie war schon tot – halb aufgefressen.«

»Wenn sie gerufen hätte, hättest du sie dann schneller gefunden?«

Kaleb dachte daran zurück, wie lange es gedauert hatte, bis er Sara gefunden hatte. Doch sie war auch so weit fortgelaufen, und er hatte in der Nacht geschlafen, anstatt zu suchen.

»Ich verstehe nicht, was du meinst«, sagte er.

»Wenn sie nicht so weit fortgelaufen wäre, hättest du sie gerettet. Du hast das Lamm gerettet und zur Herde zurückgebracht. Und Gott ist unterwegs, um uns zu retten. Wir wissen nicht, warum es so lange dauert. Er misst nicht die Zeit in Tagen und Wochen, wie wir es tun. Vielleicht sind wir ihm weit davongelaufen. Vielleicht rufen wir nicht laut genug. Vielleicht sind erst jetzt unsere Rufe an sein Ohr gedrungen, weil wir erst zu beten begonnen haben, als wir völlig verzweifelt waren. Vielleicht kommt er schneller, als wir ahnen.«

Ascher merkte, dass Kaleb sich immer noch schuldig fühlte, weil er in jener Nacht geschlafen hatte, statt nach Sara zu suchen. Und so fuhr er fort: »Gott schläft nicht, mein Junge. Gott wirkt, auch wenn es um uns herum finster ist. Wenn Gott uns befreit, dann wird der treulose junge Hirte hier in den Hügeln zurückbleiben. Er wird immer noch Sklave in Ägypten sein, wenn wir längst freie Menschen sind.«

»Und wir, bleiben wir in den Hügeln?«, fragte Kaleb, und die Finsternis wich aus seinem Herzen, weil seines Vaters Worte die Furcht vertrieben.

»Wir gehen nach Hause«, sagte Ascher. »Es ist Zeit, heimzukehren und darauf zu warten, dass unser Gott vollbringt, was er versprochen hat.«

Kaleb strahlte seinen Vater begeistert an. Diese Worte hatte er hören wollen, und er weckte Isaak und rief ihm zu: »Hörst du das, Isaak? Wir gehen nach Hause!«

»Bäh!«, erwiderte Isaak.

Endlich wieder zu Hause

Kaleb hatte fast vergessen, wie es zu Hause war. So plötzlich war er fortgerissen worden, in einem Alter, in dem er seine Umgebung noch gar nicht richtig wahrgenommen hatte. So war seine Erinnerung daran verblasst.

Verlegen ließ er sich von seiner Mutter in die Arme schließen. Fast fühlte er sich zu erwachsen, um sich so von ihr mit Liebe überschütten zu lassen. Dann starrte er unsicher seine Schwestern an, deren große braune Augen den älteren Bruder prüfend musterten, neugierig und dabei doch ebenso schüchtern, wie Kaleb selbst es war.

So lange hatte ihm nachts der Sternenhimmel als Dach gedient, dass ihm jetzt das kleine Haus seiner Mutter eng und bedrückend erschien. Es war doch früher viel größer gewesen! Er erinnerte sich noch genau an die Stufe zwischen dem tiefer gelegenen, kleineren Teil des Wohnraumes, wo der Esel schlief, und dem höheren Teil, wo die Familie wohnte, aß und schlief. Wie steil war diese Stufe beim letzten Mal gewesen! Doch die Mutter lachte und versicherte ihm, die Stufe habe sich überhaupt nicht verändert.

»Du hast dich verändert, Kaleb. Du bist gewachsen und stark und hübsch geworden. Was habe ich doch für einen großartigen Sohn! Ja, der Herr hat uns wirklich gesegnet!«

Solche Worte waren Kaleb sehr unangenehm. Wie

sollte er darauf antworten? Tief in seinem Herzen freute er sich zwar darüber, aber er hatte sich so daran gewöhnt, allein oder nur unter Männern zu sein, dass es ihm schwerfiel, sich mit seiner Mutter oder seinen Schwestern zu unterhalten. Wie viel leichter war es doch, mit Isaak zu reden!

Zu seiner großen Freude hatte sein Vater ihm erlaubt, Isaak mit nach Hause zu nehmen. Die übrigen Schafe wurden nachts draußen auf der Dorfweide gehütet, aber Kaleb brachte es nicht übers Herz, Isaak dort zu lassen. Schließlich war er ein ganz besonderes Schafböckchen. Zwar wäre er in der Herde geschützt gewesen, aber er und Kaleb hatten doch immer Seite an Seite geschlafen.

»Er kann beim Esel schlafen«, hatte Ascher bestimmt, und so war das Schafböckchen mit nach Hause gekommen und gehörte bald zur Familie.

Kalebs Schwestern machten einen großen Wirbel um Isaak, und der genoss das sichtlich. Sie brachten ihm Brotstücke zum Knabbern und Süßigkeiten, die er liebte. Sie streichelten ihn und versuchten, auf ihm zu reiten, lachten und kicherten über alles, was er tat, und über jedes Geräusch, das er von sich gab.

Kaleb versuchte, nicht eifersüchtig zu sein. Er hatte gemeint, Isaak habe nur ihn gern. Aber Isaak hatte alle gern und war besonders begeistert, dass Kalebs Schwestern so viel Aufhebens um ihn machten.

In der ersten Nacht zu Hause wollte Isaak einfach nicht beim Esel bleiben. Immer wieder kletterte er die Stufe zum Wohnraum hinauf, sodass niemand schlafen konnte, bis Ascher schließlich zu Kaleb sagte: »Am besten ist es wohl, du schläfst auch unten beim Esel.«

Kaleb rollte sich in einer Ecke möglichst weit weg vom Esel zusammen – vielleicht trat der ja aus – und versuchte Isaak zu überreden, sich neben ihn zu legen. Aber Isaak kam einfach nicht zur Ruhe, vielleicht weil er spürte, wie unruhig Kaleb selbst war.

Kaleb konnte es kaum fassen, dass er wieder zu Hause war und mit seiner ganzen Familie an dem niedrigen Tisch saß, sein Brot mit ihnen in dieselbe Schüssel tauchte, während die Augen seiner Mutter fast ständig auf ihm ruhten und nur von Zeit zu Zeit einmal zu ihrem Mann hinüberwanderten.

Als sich alle auf ihren Matten zum Schlafen niedergelegt hatten und Kaleb es sich bei dem Lamm und dem Esel bequem gemacht hatte, richtete die Mutter noch sorgfältig die Öllampe her, bevor auch sie sich zur Ruhe begab.

Die Lampe stand auf einem Ständer aus geschnitztem Holz, und als Kaleb seine Mutter jetzt daran hantieren sah, erinnerte er sich plötzlich wieder an früher. Abend für Abend hatte die Mutter den Docht auf die richtige Länge gebracht, damit die Lampe die ganze Nacht brannte.

Wie dunkel wäre es ohne diese Leuchte in dem kleinen Haus! Es war nur ein winziges Licht, genährt vom Öl, in dem der Docht schwamm. Kaleb betrachtete gebannt die Schatten, die die ruhige Flamme an die Wände zauberte. Welch ein Trost ging doch von diesem warmen und freundlichen Licht aus! In der Wüste herrschte manchmal pechschwarze Nacht, wenn der Mond hinter dicken Wolken verschwunden war. Kaleb fürchtete sich vor der Finsternis. Sie erinnerte ihn an den Tod, und der Tod jagte ihm Angst ein, weil er ihn nicht verstand.

Ascher sagte, Gott habe allen Geschöpfen das Leben gegeben. Wenn ein Lebewesen sterbe, zerfalle es zu Staub. Kaleb hatte schon viele tote Tiere gesehen, und er erinnerte sich vor allem an ihre starren Augen, die irgendwie ganz besonders tot wirkten.

Wenn er Isaaks glänzende Augen betrachtete, hatte er den Eindruck, dass sich sein ganzes inneres Wesen – seine Neugier und Lebhaftigkeit, seine Entschlossenheit, seine Lustigkeit und Keckheit, sein hartnäckiges Betteln – in seinen Augen widerspiegelte.

Tote Augen dagegen waren wie Steine – harte, kalte Steine. Sie lösten Entsetzen aus, einen unergründlichen Schmerz, ein Gefühl der Leere. Das Leben wurde ausgehaucht, so sagte man. Doch wo war es dann?

Ascher behauptete, Gott nehme es zurück. Er gebe alles, und er nehme es auch wieder.

Kaleb meinte, es müsse sehr finster sein, wenn man tot sei.

Doch Ascher hatte ihm entgegnet, dass es nie finster sei, wenn ein Mensch Gottes Licht in sich trage, denn sein Licht erlösche nie.

Kaleb konnte sich nicht erinnern, dass die Lampe seiner Mutter je erloschen wäre. In ihrem schwachen Schein sah er nun seine ganze Familie in tiefem Schlaf. Die wenigen Möbel waren in eine Ecke gerückt worden, um Platz für die Schlafmatten zu schaffen. Er sah den Esel, der nicht schlief, sondern mit gesenktem Kopf und herabhängenden Ohren vor sich hin döste und nur dann und wann sein Gewicht von einem Bein auf ein anderes verlagerte. Und er sah Isaak, der sich endlich zusammengerollt hatte und zufrieden wiederkäute.

Kaleb war froh zu wissen, dass es selbst im Tod nicht finster sein würde. Wenn seine Mutter dafür sorgen konnte, dass die Lampe immer leuchtete, dann würde Gott, der doch so viel mächtiger war, ganz gewiss dafür sorgen können, dass sein Licht niemals erlosch!

Kalebs Vater musste seine Schafe nicht sehr weit zum Weideland treiben, denn rings um das Dorf gab es saftige Wiesen. Wegen der schlimmen Ereignisse der letzten Zeit ließen die Ägypter die Israeliten in Ruhe.

Kaleb und sein Vater erfuhren bald, dass es seit den letzten Nachrichten, die sie im Hügelland von den Hirten erhalten hatten, weitere Strafgerichte Gottes gegeben hatte.

Nach den Fröschen waren als dritte Plage Stechmücken aufgetaucht, die Menschen und Vieh erbarmungslos gequält hatten. Diesmal hatten die Zauberer des Pharao gesagt: »Dies ist Gottes Handeln«, denn sie hatten versucht, etwas Ähnliches zu zaubern, es aber nicht geschafft. Da begriffen sie, dass auch Mose diese Plagen nicht herbeizauberte. Nicht er, sondern Gott war da am Werk.

Doch das Herz des Pharao war immer noch hart, und so hatte Gott eine vierte Plage geschickt: Ungeziefer, das die Menschen zur Verzweiflung trieb. Schwärme von Ungeziefer waren überall herumgeschwirrt, im ganzen Land, in den Häusern, auch im Palast des Pharaos. Nur Gosen, das Gebiet, wo die Israeliten wohnten, war verschont geblieben.

Diesmal hatte der Pharao gesagt, er würde das Volk ziehen lassen, und gerade jetzt redete Mose mit ihm und seinen Ministern. Er wollte mit den Israeliten drei Tagereisen weit in die Wüste ziehen, um dort Gott anzubeten und ihm Opfer darzubringen.

Nun warteten alle gespannt auf den Ausgang der Verhandlungen, und die Hoffnungen stiegen. Jeden Tag konnte der Befehl zum Aufbruch kommen. Darauf freuten sich alle. Die Ägypter hatten aufgehört, sie zu quälen. Ja, sie gingen ihnen aus dem Weg. Sie hatten erkannt, dass ihre eigenen Götter nichts tun konnten im Gegensatz zum Gott der Hebräer, der so heilig war, dass nicht einmal sein Name ausgesprochen werden durfte. Sie fürchteten sich. Manche versuchten sogar, mit den Sklaven Freundschaft zu schließen, fragten sie nach ihrem Gott und wollten ihm dienen.

Es war eine seltsame, eine aufregende Zeit. Sogar Kalebs Vater, der sonst so ruhig und bedächtig war, ließ sich von der allgemeinen Begeisterung anstecken. Stundenlang saß er mit den anderen Männern des Dorfs zusammen. Sie redeten miteinander, beteten, sangen Loblieder für ihren Gott und warteten auf Nachricht von Mose.

Der ganze Tagesablauf – Wasser holen, Brot backen, den Esel füttern, die Schafe hüten, mit Isaak spielen, gemeinsam zu Abend essen, sich schlafen legen – das alles wurde überstrahlt von Gottes Befehl an den Pharao: »Lass mein Volk ziehen!«

Kaleb spürte eine große Freude in sich aufsteigen, sooft er daran dachte: »Wenn Gott ›mein Volk‹ sagt, meint er damit ja auch mich!« Es war etwas Besonderes, Gott zu gehören. So brauchte er sich nicht zu fürchten in einer Zeit, in der überall so viel Angst und Unruhe herrschte.

Wieder einmal änderte der Pharao seine Meinung, und Gott schlug das Vieh in ganz Ägypten mit einer schweren Seuche. Überall begannen Rinder, Schafe und Ziegen, Pferde, Kamele und Esel zu sterben.

Kaleb sah ganze Schafherden, die ägyptischen Hirten gehörten, tot auf ihren Weiden liegen. Die schwarze Eselin der ägyptischen Witwe, die am Ende der Straße wohnte, hatte drei Tage zuvor ein Fohlen bekommen. Nun wurde sie plötzlich krank und starb noch am selben Tag, und auch das Fohlen starb.

Kaleb bemerkte die beiden verendeten Tiere, und ihn schauderte. Wie schrecklich! Gestern noch war das Fohlen herumgesprungen und hatte sich seines Lebens gefreut. Und jetzt …!

Er hatte Angst um Isaak. Was, wenn die Krankheit ansteckend war? Was, wenn Isaak nun auch plötzlich krank würde und stürbe? Wie konnte Gott wissen, welches Schaf einem Ägypter gehörte und welches einem Israeliten? Und wenn sich Isaak in ein ägyptisches Haus verirrte – musste er dann sterben?

Sein Vater bemerkte seine Angst und sagte: »Meinst du, unser Gott kennt und liebt das Lamm, deinen Isaak, nicht auch?«

Kaleb schämte sich wegen seiner Angst und seines mangelnden Vertrauens. »Aber warum lässt er die Tiere sterben?«, fragte er. »Können die etwas dafür?«

»Nein. Schuld daran ist einzig und allein der Pharao. All das würde nicht geschehen, wenn der Pharao Gottes Befehl gehorchen würde.«

»Warum tut er es denn bloß nicht?«

»Er ist zu stolz.«

Ascher merkte, dass Kaleb mit dieser Antwort nichts anzufangen wusste. Er dachte eine Weile nach und fragte dann plötzlich: »Erinnerst du dich noch an den Tag, an dem Sara weggelaufen ist?«

Kaleb nickte unsicher. Was hatte denn das mit Pharaos Stolz zu tun?

»Warum bist du damals nicht sofort zu mir gekommen und hast mir gesagt, dass sie verschwunden ist?«

Kaleb starrte seinen Vater an. Er merkte, wie ihm eine brennende Röte ins Gesicht schoss. Eine Mischung aus Zorn und Scham stieg in ihm auf. Warum musste der Vater die alte Geschichte wieder aufwärmen? Vergab er ihm das denn nie? Würde er das nie vergessen?

Aschers weise Augen schienen seine Gedanken zu lesen, und er sagte ganz freundlich, ohne jeden Vorwurf: »Genau dieselben Gefühle erfüllen das Herz des Pharaos. Er weiß, dass er Unrecht getan hat. Aber er kann das einfach nicht zugeben. Er legt sich tausend Entschuldigungen zurecht, wie: ›Ich kann nichts dafür. Gott hat mich in diese unmögliche Lage gebracht. Er ist schuld an allem.‹«

»Wie kannst du das miteinander vergleichen?«, fragte Kaleb. »Sara war schließlich nur ein Schaf.«

»Die Gedanken, die dich davon abhielten, zu mir zu kommen und zuzugeben, dass du unrecht gehandelt hattest, waren ganz ähnlich wie die Gedanken, die den Pharao jetzt davon abhalten, zu Gott zu kommen. Du hast mir schließlich gestanden, dass Sara weggelaufen war, weil du gar keine andere Wahl hattest. Hättest du es mir auch gesagt, wenn ich es nicht selbst gemerkt hätte?«

Kaleb starrte auf den Boden vor seinen Füßen. Schamerfüllt schüttelte er den Kopf. Wie weise sein Vater war. Wie viel er doch wusste! Es tat weh, wenn man zugeben musste, dass man Unrecht getan hatte.

»Je größer das Unrecht ist, desto schwerer fällt es einem Menschen, sich dazu zu bekennen«, sagte Ascher. »Aber wenn wir nicht unseren Stolz aufgeben und zugeben, dass wir unrecht gehandelt haben, können die Dinge nicht in Ordnung gebracht werden. Wenn du früher zu mir gekommen wärst, hätte Sara vielleicht nicht sterben müssen.«

»Gott ist sehr streng«, sagte Kaleb.

»Habe ich dich so hart behandelt, dass du nicht zu mir kommen und die Sache mit Sara bekennen konntest? Hast du solche Angst vor mir gehabt, dass du nicht mit mir sprechen konntest?«

»Nein«, musste Kaleb zugeben, nachdem er eine Weile überlegt hatte. Es war eine schmerzliche Erkenntnis, dass er allein im Unrecht gewesen war.

Sein Vater hatte ihm einen Auftrag gegeben. Er hatte ihn nicht ausgeführt – er war zwar nicht willentlich ungehorsam gewesen, aber Ungehorsam aus Nachlässigkeit war eben auch Ungehorsam. Sara war gestorben, weil er, Kaleb, nicht getan hatte, was sein Vater ihm aufgetragen hatte. Aus Stolz war er zornig auf seinen Vater gewesen, und dieser Zorn hatte ihn für alles andere blind gemacht.

Selbst jetzt regte sich dieser Stolz in ihm, sodass es wehtat, zugeben zu müssen, dass er allein schuldig war. Selbst jetzt hätte Kaleb am liebsten gesagt, dass ihn die Strenge seines Vaters daran gehindert habe, die Wahrheit zu sagen.

»Ich war zornig, weil du mir nicht die Wahrheit sagtest«, fuhr Ascher fort, als kenne er die Gedanken seines Sohnes. »Wenn du mir sofort gesagt hättest, was geschehen war, hätte ich dich verstanden und dir vergeben.«

»Und bei Gott ist es dasselbe?«, fragte Kaleb, der Gott so gerne verstehen wollte.

Ascher nickte. Er legte Kaleb freundschaftlich die Hand auf den Kopf. »Ich habe dir die Sache mit Sara in dem Augenblick vergeben, als du sie mir erzähltest, obwohl ich zornig war. Aber du musstest etwas lernen, mein Sohn. Ich habe die ganze Nacht wach gelegen und für dich gebetet.«

»Tatsächlich?«, rief Kaleb. Ein Lächeln huschte über sein eben noch verzweifeltes Gesicht.

»Habe ich dir denn nicht gezeigt, dass ich dir vergeben habe, indem ich dir Isaak, dein Lamm, geschenkt habe? Hätte ich es dir wohl gegeben, wenn ich dir nicht vertraut hätte?«

»Und genauso ist Gott?«, fragte Kaleb noch einmal. Er begriff auf einmal seinen Vater, und eine tiefe Liebe zu dem stillen Mann erfüllte sein Herz.

»Gott ist sehr viel größer als wir. Daher ist auch seine Liebe viel größer und viel besser als unsere.«

»Liebt er den Pharao auch?«

»Er liebt ihn und wünscht sich nichts mehr, als dass der Pharao zu ihm käme. Aber ich fürchte, das Herz des Pharaos ist so hart und stolz, dass noch viel Schlimmeres geschehen muss, bevor er endlich zugibt, dass unser Gott recht hat und er selbst unrecht hat.«

Der Pharao lässt nicht mit sich reden

Kalebs Vater hatte recht; der Pharao hatte sein Herz völlig verhärtet. Obwohl sein Volk so schrecklich leiden musste, ließ es sein Stolz nicht zu, Gottes Gebot zu befolgen.

Bald nach dem Tod der vielen Tiere ließ Gott die Ägypter an Geschwüren erkranken. Selbst Pharaos Zauberer blieben nicht verschont, aber sie waren nicht bereit zuzugeben, dass Gott diese Krankheit geschickt hatte.

»Nach allem, was in der letzten Zeit passiert ist, ist diese Seuche nicht verwunderlich«, erklärten sie. »Für die Geschwüre gibt es eine ganz natürliche Erklärung.«

Also schickte der Pharao Mose und Aaron fort und wollte nichts mehr mit ihnen zu tun haben.

Inzwischen war es Winter geworden, und Kaleb war froh, dass er die Nächte im Haus verbringen konnte. Nur zu gut erinnerte er sich noch an die finsteren kalten Stunden, die er in früheren Jahren unter freiem Himmel verbracht hatte. Wie gut war es dagegen, bei seinen Eltern und Schwestern auf einer Matte zu schlafen, die Füße nah bei dem immer noch warmen Steinherd in der Mitte des Raumes.

Am Anfang hatten ihm die Augen getränt vom Rauch der Feuerstelle, der nur langsam durch die wenigen Löcher über der Tür abzog. Aber nach und nach hatte er sich daran gewöhnt. Wenn er aus dem Haus trat, sobald die Sonne aufgegangen war, fegte ihm der

frische kalte Wind den Rauch aus den Kleidern und die Tränenkrusten aus den Augen.

Wenn dann im Laufe des Tages die Kälte durch die Ziegenfell-Jacke und die um die Schultern geschlungene Decke drang, sehnte sich Kaleb wieder nach dem warmen kleinen Haus, auch wenn er da hustete und schnaufte und kaum Luft bekam. Abends kehrte er steif vor Kälte heim. Isaak dagegen trug einen so dicken Mantel, dass Kaleb seine Finger darin vergraben und sie tief in der Wolle wärmen konnte.

Es war ein Glück für Isaak, dass er so warm gekleidet war, denn er durfte nicht mehr im Haus schlafen. Er verursachte zu viel Durcheinander, spazierte einfach in die Nachbarhäuser, steckte seine Nase in alles Mögliche hinein, das ihn nichts anging, und machte sich unbeliebt: Er hatte Krüge und Schüsseln zerbrochen, Brot und Milch gestohlen, das Gras gefressen, das als Brennstoff für den Herd bestimmt war, Löcher in Schlafmatten geknabbert, mit dem Esel Streit angefangen, kurz: überall für Aufregung gesorgt. Er war kein kleines Lamm mehr, sondern fast ein ausgewachsener Bock. Seine Hörner waren schon so lang wie seine Ohren und schwangen sich in einem eleganten Bogen nach hinten und unten.

An dem Tag, an dem er mit seinem harten Kopf den Esel so kräftig rammte, dass er lahmte, beklagte sich Kalebs Mutter: »Isaak ist jetzt zu groß, um hier bei uns im Haus zu bleiben. Er ist kein Baby mehr.«

Kaleb blickte ängstlich seinen Vater an.

»Mutter hat recht«, stimmte Ascher zu. »Das Lamm ist fast ausgewachsen, und es ist höchste Zeit, dass der Bursche lernt, bei den Schafen zu leben und nicht bei uns. Es wird ihm guttun, von den älteren Schafböcken ein wenig in seine Schranken gewiesen zu werden. Er wird übermütig, und das ist nicht gut für ihn. Er hat noch ein paar Lektionen zu lernen.«

Kaleb wusste, dass es stimmte, was sein Vater sagte. Noch vor kurzer Zeit hätte er sich nicht vorstellen können, von seinem Lamm getrennt zu sein. Jetzt aber konnte er seines Vaters Worte ohne allzu großen Schmerz hinnehmen. Er war nicht mehr so sehr auf Isaaks Gesellschaft angewiesen, wie er es früher gewesen war. Er hatte ja jetzt seine Mutter und seine Schwestern sowie die anderen Jungen. Vor allem aber lebte er in der ständigen Erwartung, dass sie bald fortziehen und das Land Gosen für immer verlassen würden.

Tagsüber graste Isaak stets in seiner Nähe, um sich dann und wann einen Leckerbissen bei ihm zu holen oder kurz mit ihm herumzutollen. Aber Isaak selbst verlor allmählich seine Lust am Spielen und suchte sich seine Kameraden unter seinesgleichen, statt sich nur um den Jungen zu kümmern. Es war, als hätten beide gemerkt, dass die Zeit der Kindheit vorüber war.

Es wurde Frühling, und die Leute begannen sich wieder Hoffnungen zu machen. In diesem Jahr wird Gott ganz gewiss sein Volk befreien. Wo war Mose? Würde er wiederkommen und eine Botschaft von Gott bringen?

Mose kam tatsächlich wieder, und diesmal trat er mit noch größerer Kraft und mit noch erschreckenderen Worten vom Herrn auf.

»Ich hätte schon lange meine Hand ausstrecken und dich und dein ganzes Volk mit Seuchen vernichten können«, lauteten Gottes Worte an den Pharao. »Lass mein

Volk gehen. Wenn du auch diesmal nicht hörst, lasse ich eine so schwere Plage über dich, deine Minister und dein Volk hereinbrechen, dass du endlich erkennen musst, dass es keiner in der ganzen Welt mit mir aufnehmen kann!«

Doch immer noch spottete der Pharao. Aber gerade als das Land zur Frühernte bereit war – als sich die Gerstenhalme unter der Last der Ähren zu beugen begannen und der Flachs in voller Blüte stand –, da schickte Gott einen so schweren Hagel über das ganze Land Ägypten, wie man ihn seit Menschengedenken noch nie erlebt hatte.

Der Hagel richtete ungeheure Verwüstungen an und riss Blätter und Äste von den Bäumen. Die ganze Ernte wurde zerstört. Tiere, die auf freiem Feld waren, wurden von riesigen Hagelkörnern erschlagen. Selbst Menschen starben auf den Feldern.

Kaleb hörte davon, aber im Lande Gosen, wo sein Volk wohnte, schien zur gleichen Zeit die Sonne, und die Ernte war gut.

»Auf euch ruht Gottes Segen«, sagten die Ägypter, die in Gosen wohnten, zu den Israeliten. Und sie klagten bitter über den hartherzigen Pharao.

Doch der gab noch immer nicht nach. »Es kommt ja noch die Weizenernte«, beruhigte er seine Minister. »Unser Volk muss schon nicht hungern!«

Da ließ Gott einen Tag und eine Nacht lang einen Ostwind über Ägypten wehen, einen Wind, der eine weitere Plage mitbrachte. Es war die bisher schrecklichste: Heuschrecken.

Sie erschienen wie riesige Gewitterwolken am Himmel, erzählten die Leute. In der ganzen Geschichte Ägyptens hatte es keine solche Katastrophe gegeben. Das Land war schwarz von Heuschrecken, sodass niemand die Felder betreten konnte. Alles, was der Hagel übrig gelassen hatte, wurde von den Heuschrecken gefressen – doch im Land Gosen war keine einzige Heuschrecke zu sehen.

Das Land Ägypten lag verwüstet da, aber der Pharao ließ das Volk immer noch nicht frei.

Die Dorfältesten konnten kaum glauben, dass der Pharao so hart war. Die Ägypter kamen zu ihnen und baten sie, doch fortzuziehen. Sie boten ihnen sogar Silber und Gold an, wenn sie nur das Land verließen.

»Wie können wir ohne Erlaubnis aufbrechen? Der Pharao würde uns umbringen lassen«, erwiderten sie. »Nein. Der Pharao muss sich vor unserem Gott beugen, und dann werden wir gehen.«

Es war eine seltsame, eine unheimliche Zeit für alle, für die Ägypter wie für die Hebräer. Aber der Herr segnete sein Volk und strafte die Ägypter.

Die Zeit des Lammens war vorbei, und Aschers Herde war beträchtlich gewachsen. Kaleb arbeitete gern, und der Vater ließ ihn oft allein die Schafe hüten. Die Männer des Dorfes verbrachten in diesen Tagen viel Zeit mit Diskutieren und Beten, und Ascher war mit dabei.

Wie stolz war Kaleb, als sein Vater ihm zum ersten Mal die ganze Verantwortung übertrug. Die Schafe kannten ihn inzwischen gut. Seine Stimme war ihnen so vertraut wie die seines Vaters, und sie folgten ihm, wenn er sie rief.

Kaleb genoss es, selbst entscheiden zu können, wohin

er die Herde führte, selbst nach gutem Weideland Ausschau zu halten, bei Einbruch der Dämmerung die Schafe zu zählen und sie sicher in die Pferche zu führen und darauf zu achten, ob eines von ihnen krank war oder lahmte.

War wirklich schon ein ganzes Jahr vergangen, seit Isaak geboren worden war? Ein ganzes Jahr seit jenem Tag, an dem Kaleb das mutterlose Lamm im Dornstrauch gefunden hatte? Es war kaum zu glauben. Doch die neugeborenen Lämmer bewiesen es; sie sprangen mit hellem Blöken umher, wie Isaak es einst getan hatte, unsicher und ungeschickt, wie er es gewesen war, darauf brennend, ihre Welt kennenzulernen. Und wie vor einem Jahr jagten sich die Lämmer untereinander und verteidigten ihre Erdhügel.

Isaak selbst gehörte nun zu den »Einjährigen«. Er war so fehlerlos, dass jeder Hirte stolz gewesen wäre, ein solches Tier in seiner Herde zu haben. Seine Wolle war dicht und bereit zur ersten Schur. Er blieb immer noch in Kalebs Nähe, wenn sie von einer Weide zur anderen zogen, und verjagte jeden, der ihm diesen Platz streitig zu machen versuchte. Und immer noch ließen er und Kaleb sich ab und zu gern auf einen kurzen Ringkampf ein, der allerdings jetzt meistens damit endete, dass Kaleb im Staub lag.

Isaak war mittlerweile ein kräftiger Schafbock geworden, und Kaleb betrachtete ihn voll Stolz und Liebe. Er konnte sich kaum noch vorstellen, dass es einmal eine Zeit gegeben hatte, in der er die Schafe gehasst und gerufen hatte: »Ich will kein Hirte werden!«

Nun war er stolz, dass ihm sein Vater die ganze

Herde anvertraute. Er trug seinen eigenen Hirtenstab bei sich, um die Schafe aus Gefahrenbereichen herauszuziehen oder sie in ihre Schranken zu weisen, wenn sie sich danebenbenahmen. Er zog vor den Schafen her und blickte immer wieder zurück, um sich zu vergewissern, dass ihm alle folgten. Dabei fühlte er sich sicher und stark und zuverlässig. Er hatte den Eindruck, dass alle Tiere der Herde sich auf ihn verließen, wie auf seinen Vater.

Es war ein schönes Gefühl; Kaleb brach unwillkürlich in Lachen aus. Eines Tages würde er mit seiner eigenen Herde umherziehen statt mit der seines Vaters. Aber ein echter Hirte war er schon jetzt.

Der Frühling überzog alles mit leuchtenden Farben. Die Schafe machten sich begeistert über die Wildblumen und das frische Gras auf den abgeernteten Gerstenfeldern her. Es tat gut, sie so zufrieden grasen zu sehen, statt weit von zu Hause entfernt mit ihnen umherziehen zu müssen. Welch eine Freude war es, zuzusehen, wie die Lämmer herumtollten, bis sie müde waren. Dann rollten sie sich einfach zusammen und schliefen.

»Isaak!« Ein kurzer Ruf genügte. Der Schafbock hob den Kopf und blickte zu Kaleb herüber, ohne mit Kauen aufzuhören. Ja, Isaak hatte ihn noch immer nicht vergessen!

Als Kaleb eines Abends heimkam, erzählten alle Leute aufgeregt von der großen Finsternis, die über das Land Ägypten gekommen war. Gott hatte sie wegen des Pharaos hereinbrechen lassen.

»Die Dunkelheit war so dicht, dass man sie förmlich mit Händen greifen konnte«, wurde berichtet.

Den Leuten stand der Schrecken ins Gesicht geschrieben. Sie blickten ängstlich zum Himmel empor, wo die Dämmerung sich auszubreiten begann. »Wird es nun auch bei uns so finster werden?«, fragten sich alle insgeheim.

Auch Kaleb zitterte. Die Dunkelheit jagte ihm Angst ein. Eine Finsternis, die man mit Händen greifen konnte! Er erinnerte sich an die Nächte im Hügelland, wenn eine dichte Wolkendecke den Mond und alle Sterne verhüllt hatte. Dann war es so finster gewesen. In der Finsternis lauerte das Böse. Das wusste jeder.

»Was hat das zu bedeuten?«, fragten die Leute einander.

Drei Tage lang war es so finster gewesen, dann hatte der Pharao Mose wieder einmal zu sich rufen lassen und ihm die Erlaubnis erteilt, mit seinem ganzen Volk das Land zu verlassen.

»Eure Herden – die Schafe, Ziegen und Rinder –, die dürft ihr allerdings nicht mitnehmen, die bleiben hier!«, hatte er gesagt.

Als Kaleb das erfuhr, rannte er so schnell er konnte zu seinem Vater. Würde dieser bereit sein fortzuziehen, ohne die Schafe mitzunehmen?

»Aber ein paar könnten wir doch mitnehmen, oder?«, bettelte Kaleb. »Und wenn es nur einige wenige wären, oder?«

Ascher lachte. »Du meinst: Isaak können wir doch wenigstens mitnehmen, nicht wahr?«

Beschämt nickte Kaleb. War es unrecht, zuerst an Isaak zu denken? Konnte er etwas dafür, dass er ihn so lieb hatte?

»Nun, du kannst beruhigt sein«, fuhr Ascher fort.

»Mose hat darauf bestanden, dass wir nicht ohne unsere Herden fortziehen können. Und diesmal hat der Pharao ihm verboten, sich je wieder bei ihm blicken zu lassen.«

Die dreitägige Finsternis im Land Ägypten hatte das geplagte Volk in die größte Angst gestürzt. Was nun? Was würde als Nächstes passieren?

Alle warteten. Würde Mose zurückkehren? Der Pharao hatte gedroht, ihn töten zu lassen, wenn er ihm noch einmal unter die Augen träte. Und Mose hatte, so wurde berichtet, dem König geantwortet: »Wie du sagst. Ich werde dich nicht wieder sehen.«

»Warum lässt uns der Pharao denn nicht ziehen?«, fragten die Dorfältesten einander. »Wenn wir alle mit unseren Herden fortziehen«, erwiderte einer, »wer wird dann für ihn arbeiten? Wer wird ihm seine Paläste bauen? Wer die Ziegel herstellen?«

»Unser Gott wird schon dafür sorgen, dass der Pharao uns schließlich ziehen lässt«, versicherte jemand.

Das Opfer für Ascher und Kaleb

Der Herr sprach zu Mose: Sage den Israeliten …«

Die Nachricht von der großen Finsternis hatte Kalebs Dorf kaum erreicht, da trafen schon wieder Boten ein, ganz besondere Boten diesmal. Sie brachten keine Gerüchte und Meinungen, sondern eine Botschaft vom Herrn, ihrem Gott, für jeden Israeliten.

Alle Männer des Dorfes wurden zusammengerufen. Kaleb musste bei den Schafen bleiben. Atemlos fragte er sich, was wohl bei dieser Versammlung geschehen mochte. In seine Aufregung mischte sich Angst – wer fürchtete sich nicht, wenn der Herr sprach!

Selbst die Ägypter hatten Angst. Niemand sagte ihnen, was geschah, doch alle merkten, dass sich etwas anbahnte. Vor allem wussten sie, dass der Pharao Gott völlig den Rücken gekehrt hatte – dem Gott, der sich immer und immer wieder als mächtiger erwiesen hatte als all ihre Götter. Konnte der Pharao diesem Gott die Stirn bieten und am Leben bleiben?

Die Versammlung dauerte bis in die Nacht hinein. Es war eine denkwürdige Nacht. Eine Nacht, in der nur wenige Leute schliefen und in der es doch still war, weil die Menschen vor Aufregung oder Angst nicht laut zu sprechen wagten. Sogar die Hunde bellten nicht in dieser Nacht, als wüssten auch sie, wie gewichtig die Worte waren, die die Boten von Mose dem Volk überbracht hatten.

Endlich kam Ascher heim. In seinen Augen stand ein seltsamer Glanz, als er, nach Worten suchend, seiner Familie Gottes Botschaft ausrichtete. Seine Frau musste ihn zum Reden ermuntern, und Kaleb sollte sich für den Rest seines Lebens an diese Nacht erinnern, mehr noch als an die Nächte und Tage, die dann folgten – Nächte, in denen er nicht schlafen konnte, Tage, an denen sein Herz von Verzweiflung erfüllt war. So schrecklich diese Tage und Nächte auch waren – am schlimmsten war die letzte Nacht, die sie in Gosen verbrachten –, so war es doch diese Nacht, die er bis zu seinem Lebensende nicht vergaß, die Nacht, in der sein Vater wie verwandelt heimkehrte, ein Fremder fast, weil ihn das Wort des Gottes Israels getroffen hatte.

Schließlich begann Ascher zu sprechen. Sein Blick wanderte von seiner Frau zu Kaleb und dann zu den beiden Mädchen, die, an die Mutter geschmiegt, gegen den Schlaf ankämpften. Im schwachen Schein der Öllampe sahen alle Gesichter dunkel und eingefallen aus.

»Heute Nacht beginnt für jeden von uns ein neues Leben. Dies ist der Anfang eines neuen Jahres, der erste Monat und der erste Tag dieses Monats. So spricht der Herr.«

»Und weiter?«, musste seine Frau ihm zureden und griff nach seiner Hand.

Kaleb verstand nicht, warum sein Vater diese Ermutigung brauchte. War das denn keine gute Nachricht? Hatten sie nicht seit Generationen auf diesen Tag gewartet? Aber das Herz schlug ihm bis zum Hals, so sehr erschreckte ihn irgendetwas im Blick seines Vaters.

»Etwas Furchtbares steht Ägypten bevor«, fuhr

Ascher nach einer Weile stockend fort. »Eine Finsternis, die schlimmer ist als jene drei Tage der Dunkelheit. Sie waren die letzte Warnung an den Pharao, der drohte, Mose töten zu lassen, wenn er noch einmal zu ihm käme.

Nun wird Gottes Zorngericht endgültig über ihn hereinbrechen. Gott hat gesagt, dass er in der Nacht des 14. Tages dieses Monats durch Ägypten gehen wird. Und dann wird jeder Erstgeborene sterben, bei Mensch und Vieh.«

Ascher verstummte, und nun schwiegen auch die anderen. Was Gott angekündigt hatte, war so entsetzlich, dass sich der Verstand sträubte, es aufzunehmen. Kalebs Herz schlug noch schneller, als würde es seine Brust sprengen. Gott würde durchs Land gehen – und Tod bringen! Konnte es etwas Furchtbareres geben?

»Unser Volk wird verschont bleiben«, fuhr Ascher langsam fort. »Wir werden gerettet durch das Blut eines Lammes, das wir an die Türpfosten und Türbalken unserer Häuser streichen.«

»Wie sonderbar!«, wunderte sich Kalebs Mutter. »Das Blut eines Lammes? Wie kann das uns retten?«

»Gott hat gesagt, dass er das Blut an den Türpfosten sehen wird. Und wenn er es sieht, wird er an unserem Haus vorübergehen und uns vor dem Tod bewahren.«

»Und unsere Nachbarn?«, flüsterte die Mutter, als sei es zu schmerzlich, so etwas laut auszusprechen.

»Nur diejenigen, die durch das Blut geschützt sind, bleiben verschont.«

Ascher erklärte noch vieles andere mehr, was in jener Nacht getan und beachtet werden müsste. Vor allem, was sie essen sollten und wie diese Mahlzeit zubereitet sein müsste. Kaleb war so erschüttert, so müde und verwirrt, dass er diese Einzelheiten sofort wieder vergaß. Nur eines blieb ihm im Gedächtnis: dass sie alles in Hast und Eile essen müssten. Sie sollten bereit sein, von einem Augenblick zum anderen aus Ägypten aufzubrechen, und wenn es mitten in jener finsteren Nacht wäre. Sobald der Befehl an sie erginge, müssten sie losziehen.

Die Mutter und der Vater redeten noch leise bis tief in die Nacht hinein. Kaleb aber ließ sich schließlich auf seine Schlafmatte sinken. Sein Herz krampfte sich zusammen, er wusste selbst nicht warum.

Er war so erfüllt vom Gefühl drohender Gefahr, dass er fast wünschte, es wäre wieder alles wie früher. Auf einmal schien das ganze Leben nur noch aus Hast und Angst und Flüstern zu bestehen. Wie angenehm war es dagegen in den Hügeln gewesen, als es nur eine Sorge gegeben hatte – die Sorge um die Schafe. War das neue Leben, das nun beginnen sollte, wirklich so erstrebenswert?

Alles Bekannte und Vertraute ging jetzt zu Ende. Es war so viel davon gesprochen worden, die Leute hatten sich so lange danach gesehnt und darauf gehofft. Kaleb konnte kaum glauben, dass dieser Tag endlich gekommen war, der Tag der Freiheit und der Tag des Todes, an dem Gott selbst durch das Land ging.

Tod und Finsternis – davor hatte Kaleb am meisten Angst. Und über beides war Gott der Herr.

Kaleb wusste später nicht mehr, ob er in dieser Nacht geschlafen hatte oder nicht und ob all das, was er gehört und gesehen hatte, Wirklichkeit oder Traum gewesen war.

Er sah Abraham in der Wildnis aus Steinen einen Altar bauen, während ihm sein Sohn Isaak verwundert zusah und fragte: »Aber wo ist das Lamm, Vater? Wir haben alles für das Opfer bis auf das Lamm.«

Und er hörte Abraham mit der Stimme Aschers, seines Vaters, antworten: »Gott wird schon für ein Opferlamm sorgen, mein Sohn. Hab keine Angst. Vertraue Gott!«

Dann war es sein Vater, nicht Abraham, der die Steine für den Altar aufschichtete und ihn, seinen Sohn Kaleb, als Opfer darauf niederlegte.

»Nur das Blut eines Lammes wird uns retten«, hörte er seinen Vater sagen. Oder Abraham? Oder sich selbst?

»Warum? Warum?«, rief Kaleb laut und vor Angst schwitzend. Er wollte nicht sterben.

Dann sah er plötzlich das Gesicht seiner Mutter, die ihn tröstete. So war er vielleicht doch eingeschlafen, und es waren nur Träume, die ihn erschreckt hatten?

Gott befahl Mose, dem Volk zu sagen: »Am 10. Tag dieses Monats soll jeder Familienvater für seine Familie und alle, die zu seinem Haushalt gehören, ein Lamm auswählen. Die Tiere müssen einjährig und männlich sein und dürfen keinen Fehler haben.«

So kamen die Männer des Dorfes eilig zu Kalebs Vater und allen anderen, die Schaf- oder Ziegenherden besaßen, um sich bei ihnen ein Schaf- oder Ziegenböckchen zu besorgen. Wenn es nun nicht genug für alle Familien gab? Was dann? Draußen bei den Herden gab es erregte Wortwechsel. Da suchten die Männer die Tiere aus, die ihnen am besten gefielen, und mussten dann manchmal feststellen, dass sie weiblich oder zu alt oder mit irgendeinem Mangel behaftet waren. Was für ein Tier sie am Ende auch bekamen, immer stritten sie mit den Hirten, weil jeder für sich und seine Familie das beste Tier haben wollte.

Kaleb stand am Eingang zum Pferch und ließ die Lämmer heraus, die ausgesucht worden waren. Jedes von ihnen wurde sogleich von eifrigen Händen gepackt und fortgeschleppt. Die armen Tiere wehrten sich verzweifelt. Vor lauter Angst brachten sie nicht einmal ein Blöken heraus. Sie verstanden nicht, was da geschah, doch sie spürten, dass es nichts Gutes war.

»Warum muss das alles sein?«, fragte Kaleb seinen Vater. »Wie kann das Blut eines Lammes uns vor dem Tod bewahren?«

Darauf wusste Ascher auch keine rechte Antwort. »Das Handeln Gottes übersteigt unseren Verstand, mein Sohn. Vielleicht werden wir eines Tages begreifen, was das alles zu bedeuten hat. Es muss einen ganz besonderen Sinn haben, denn Gott hat uns geboten, uns jedes Jahr daran zu erinnern und es zu feiern. Jedes Jahr auf ewige Zeiten.«

»Ewig?«

Kaleb konnte sich nicht vorstellen, was »ewig« bedeutete. »Ewig« war doch nur Gott. War es möglich, einen bestimmten Tag so lange zu feiern und nicht zu vergessen?

Isaak war so weiß und ohne einen einzigen Fehler, dass alle, die kamen, um ein Lamm zu kaufen, sofort riefen: »Das da, das will ich!«, sobald sie es erblickt hatten. Obwohl Ascher ein ums andere Mal den Kopf schüttelte, bedrängten sie ihn, bettelten und wurden zornig, sodass Kaleb sie am liebsten davongejagt hätte.

»Das willst du ja nur für dich selbst behalten, oder?«, beschimpften sie Ascher. »Du bist uns der Richtige. Behältst vorsichtshalber das Beste für dich!«

Ascher antwortete nicht auf ihre Vorwürfe, aber sie legten sich wie ein schwerer Stein auf Kalebs Seele.

»Das ist mein Lamm!«, rief er schließlich und hasste sie wegen ihrer gierigen Hände.

Für die Männer waren die Schafe nichts weiter als Tiere, die sie opfern konnten. Sie kannten weder ihren Namen noch ihre Wesenszüge. Sie hatten nicht die langen, finsteren Nächte mit ihnen verbracht, mit ihnen gegessen, waren nicht mit ihnen über dürres Land und durch finstere Schluchten gewandert. Sie wollten nicht mehr als ihr Blut, um sich damit selbst zu retten.

Für Ascher selbst gab es nun in der ganzen Herde nur noch zwei Lämmer, von denen er eines für die eigene Familie auswählen konnte. Eines von den beiden war Isaak.

Deshalb hatte Kaleb nicht schlafen können. Deshalb erschien ihm jeder neue Tag noch unerträglicher als der Tag vorher, obwohl doch jeder Tag sie der Freiheit näher brachte, nach der sie sich seit mehr als 400 Jahren Generation um Generation gesehnt hatten.

Noch vier Nächte, dann würde überall in Ägypten der Tod zuschlagen, angefangen bei der Familie des Pharao bis hin zur Familie des niedrigsten Sklaven. Kaleb starrte sein Lamm an, und dieses blickte mit treuen Augen zu ihm empor, den Kopf hoch erhoben. Kaleb hatte das Gefühl, das Herz müsse ihm zerspringen.

Ein schwerer Entschluss

Die Dämmerung brach herein, und es war Zeit, nach Hause zu gehen. Ein Lamm würde mit ihnen gehen müssen und bis zum 14. Tag besonders behandelt werden. Kaleb war wie gelähmt vor Angst und Verzweiflung. Er wartete darauf, dass sein Vater die Wahl traf.

Aber sein Vater blickte ihn an und fragte: »Es wäre nicht recht, wenn ich zwischen ihnen wählte. Eines gehört dir, das andere mir. Du bist jetzt ein guter Hirte, Kaleb. Entscheide du! Welches der beiden Lämmer ist das beste, das wir Gott anzubieten haben?«

Noch kurze Zeit zuvor hätte Kaleb stolz verkündet, Isaak sei das schönste Lamm der Welt. Nun blieb ihm das Rühmen im Hals stecken. Stimmte das überhaupt? Und wenn es stimmte …

Kannte Gott nicht sein Herz? Konnte er Gott denn weniger als das Allerbeste geben?

Warum nahm ihm sein Vater die Entscheidung nicht ab? Warum musste er selbst wählen?

Während er verzweifelt nach einem Ausweg suchte, wusste er doch, dass es keinen Weg gab und dass ihm sein Vater die Wahl nicht abnehmen konnte, weil er ihn liebte. Suchte Ascher sein eigenes Lamm aus, war er unehrlich. Suchte er Kalebs Lamm aus – und es war nun einmal das beste! –, würde Kaleb es ihm nicht sein Leben lang bitter vorhalten?

Kaleb blickte zu Boden, damit sein Vater die Tränen in

seinen Augen nicht sah. Er rief Isaak. Das Lamm drängte sich eifrig durch die Herde, glücklich, dass es zu Kaleb kommen durfte. Furchtlos trottete es hinter Vater und Sohn die Straße entlang, ganz anders als jene anderen Schafe, die nie so vertrauen gelernt hatten wie Isaak. Als das Schafböckchen durch die Tür ins Haus trat, blickte Kalebs Mutter überrascht auf. Doch dann begriff sie, was geschehen war, und sagte kein Wort.

Die beiden Mädchen jauchzten vor Freude, als sie Isaak sahen. Die nächsten vier Tage spielten sie mit ihm und fütterten ihn mit Leckerbissen, während die Mutter die wenigen Habseligkeiten der Familie zusammenpackte und alles für die Reise vorbereitete.

Kaleb konnte das alles nicht mehr ertragen.

Er blieb vom Morgengrauen bis zur Abenddämmerung draußen bei der Herde und hütete die Schafe, die übrig geblieben waren. Und wenn Isaak im Haus zu ihm kam, schob er ihn von sich. Wie konnte er mit Liebe und Freude ein Lamm anschauen, das schon so bald für ihn sterben sollte und das er essen musste? Denn auch das hatte der Herr geboten. Das Lamm sollte nicht nur geschlachtet, sondern ganz über dem Feuer im Haus gebraten und dann gegessen werden.

Ascher sagte nichts. Er selbst kämmte Isaaks Wolle, bis sie ganz glatt und glänzend war. Das Lamm stand ganz still und ließ es mit sich geschehen, obwohl es so etwas noch nie erlebt hatte.

»Sieht er nicht wunderschön aus?«, riefen Kalebs Schwestern.

Ja, er sah wirklich schön aus. Ascher rieb seine Hörner mit Öl ab und bearbeitete und ölte sogar seine Hufe.

Und niemand verlor ein böses Wort über Isaak, obwohl er wieder alles Mögliche anstellte und seine Nase überall hineinsteckte, wo er nichts zu suchen hatte.

Der Tag des Opfers brach an. Draußen auf den Feldern wechselten Vater und Sohn kein einziges Wort miteinander. Kaleb fühlte sich innerlich so verkrampft und ausgetrocknet, dass ihn sogar das Atmen schmerzte. Immer wieder schoss ihm der Gedanke durch den Kopf, dass Gott vielleicht in letzter Minute ein besseres Lamm als Isaak schicken oder ihnen eine andere Möglichkeit ihrer Rettung zeigen würde.

Und doch wusste Kaleb, dass Isaak ein fehlerloses Lamm war und dass es ihm nicht zustand, Gottes Handeln infrage zu stellen, auch wenn es noch so unbegreiflich und schmerzlich war.

»Vertraue Gott!«, hatte sein Vater gesagt, und er musste ihm vertrauen, obwohl er ihn nicht verstand. Anderenfalls hätte er an den vergangenen Tagen das Leben nicht ertragen können.

Am frühen Nachmittag trieben sie die Schafe wieder in die Umzäunung. Ascher untersuchte jedes einzelne sehr genau, denn am nächsten Morgen würden sie die Reise in das Land beginnen, das Gott ihnen versprochen hatte. Wie weit entfernt und wo jenes Land war, wussten sie nicht. Eines aber wusste der Hirte: dass ein Schaf mit wunden Füßen nicht gut wandern könnte.

Die Lämmer mussten in der Abenddämmerung geschlachtet werden. Ascher ging nach Hause, bevor die Sonne hinter dem Horizont verschwand, um alles vorzubereiten. Kaleb wollte nicht mitgehen. Unter dem Vorwand, er habe ein Schaf entdeckt, das sich einen Stein in den Fuß getreten habe, blieb er bei der Herde zurück, und sein Vater ging ohne ihn nach Hause.

Kaleb ging zum Rand des abgeernteten Gerstenfeldes und setzte sich. Er starrte zu einem Baum in der Ferne hinüber, der sich dunkler und dunkler gegen die untergehende Sonne abhob. Allmählich verblasste und verschmolz er mit der heraufziehenden Dämmerung. Nun brachen auf einmal all der Schmerz und die Bitterkeit aus Kalebs Herzen heraus. Er warf sich auf den Boden und schluchzte und ließ seinen Tränen freien Lauf.

Nach einer Weile schien auf einmal tief in seinem Herzen eine Stimme zu ihm zu sagen: »Würdest du nicht dein Leben für die Schafe lassen? Und hat das Lamm nicht sein Leben für dich gelassen?«

Woher kamen diese Worte? Hatte sein Vater sie einmal zu ihm gesagt? Nein. Er erinnerte sich sehr genau an jedes Wort, das sein Vater in den letzten paar Tagen gesprochen hatte. Nein, dies waren nicht Aschers Worte.

Der Baum war nur noch ein Schatten im blauen Dunst der Abenddämmerung, und auch Kalebs Schmerz löste sich in diesen einsamen Augenblicken am Rand des Gerstenfeldes ganz langsam auf. Kaleb erhob sich und dachte über die Worte nach, an die er sich so deutlich erinnerte.

Ein Leben für ein Leben.

Das war Gottes Grundgesetz, hatte sein Vater ihm gesagt. Nun begriff Kaleb, dass Gott wirklich für das Lamm gesorgt hatte, das sein Leben retten sollte, so wie er einst für einen Schafbock gesorgt hatte, um das Leben Isaaks, des Sohnes Abrahams, zu retten.

Er rannte nach Hause. Musste er nicht unbedingt seinem Vater erzählen, dass er jetzt verstand, warum Isaak, sein Lamm, sterben musste? Die Häuser im Dorf waren fest verriegelt. Keine einzige Tür stand offen, und auf der Straße war kein Mensch zu sehen.

Plötzlich fiel Kaleb ein, dass in der Finsternis dieser Nacht der Herr kommen würde. Wie dunkel es schon war!

Vor seinem eigenen Haus stand der Vater auf der Straße und wartete auf ihn. In der Rechten hielt er eine kleine Laterne, die einen schwachen Lichtschein verbreitete. Ein winziges Licht, aber wenigstens ein Licht, das in der Finsternis leuchtete und Kaleb den Heimweg wies.

»Beeil dich, mein Sohn! Das Mahl ist bald bereit, und wir müssen es in Eile verzehren, wie der Herr uns geboten hat.«

»Ist das Blut an der Tür?«, fragte Kaleb.

Seine Furcht wuchs, wenn er daran dachte, was in der Schwärze der Nacht geschehen würde.

Sein Vater hielt die Laterne hoch, doch es war zu finster, um etwas zu erkennen. Und wenn Gott nun in der Finsternis auch nichts sah? Wenn er das Blut nicht bemerkte? Dann würden Kaleb und sein Vater sterben, denn sie waren beide erstgeborene Söhne.

Ascher hatte offenbar Kalebs Angst bemerkt. Er setzte die Laterne zu seinen Füßen nieder und stellte sich mit dem Rücken zur Tür. Dann breitete er seine Arme aus, sodass seine Hände auf beiden Seiten die Türpfosten berührten.

»Siehst du meinen Kopf und meine Hände?«, fragte er

Kaleb. »Da ist das Blut, genau da, wo Gott es uns geboten hat. So ist es bei allen Häusern. Nun komm herein und mach dich fertig. Alles muss genau nach Gottes Willen ausgeführt werden.«

In den letzten Tagen hatte Kaleb sich hundertmal gesagt, dass er nichts von seinem Lamm essen werde;

oder dass er, wenn man versuchte, ihn zum Essen zu zwingen, jeden Bissen ausspucken und nichts hinunterschlucken würde. Doch er sah, wie sich die Furcht im Gesicht seiner Mutter in Freude verwandelte, als er durch die Tür trat. Sie hatte solche Angst um ihn gehabt und befürchtet, er würde nicht nach Hause kommen. Aber Ascher hatte sich geweigert, hinauszugehen und ihn zu holen.

»Er muss freiwillig kommen«, hatte er ihr gesagt. »Er muss freiwillig essen. Das Lamm ist tot. Aber wir können ihn nicht zwingen, das Opfer für sich in Anspruch zu nehmen.«

Als Kaleb das Gesicht seiner Mutter sah, und als sie ihn in ihre Arme schloss und so fest an sich drückte, dass er merkte, wie sehr sie ihn liebte und wie sie sich um ihn geängstigt hatte, da war ihm klar, dass er das Mahl nicht verweigern konnte.

Vielleicht hatte Isaak nicht verstanden, warum die Menschen, denen er so vertraut hatte, sich plötzlich gegen ihn gewandt hatten; warum seine eigenen Leute ihn getötet hatten; warum Kaleb ihn im Stich gelassen hatte. Nein, Isaak hatte das sicher nicht verstanden, aber Kaleb begriff es nun. Das alles hatte um seinetwillen und um seiner Familie willen geschehen müssen.

Dies sollte eine bittere Zeit sein, auch wenn sie später zu großer Freude führen würde. Jetzt galt Leben für Leben, und viele Menschen würden sterben, weil sie nicht auf Gott gehört hatten. Wenn er nun nicht mitaß, war es, als weigerte er sich, sich mit dem Lösegeld freikaufen zu lassen. Wenn er sein Lamm wirklich lieb hatte, würde er das Fleisch essen, das seine Mutter zubereitet hatte, selbst wenn es mit dem Salz seiner Tränen gewürzt war.

Und so schloss sich Kaleb seiner Familie an, nachdem sich alle für die Reise gekleidet hatten. Ihr ganzer Besitz war zusammengepackt und musste nur noch auf dem Rücken des Esels festgebunden werden. Der Esel schien zu merken, dass dies eine besondere Nacht war. Er hielt die Ohren gespitzt und achtete auf alles, was um ihn herum geschah.

Kalebs Mutter hatte bittere Kräuter gekocht und Brot ohne Sauerteig gebacken, so wie Gott es befohlen hatte. Dies sollte an die Leiden ihres Volkes erinnern, von denen sie freigekauft wurden durch das Blut des Lammes, das hatte sterben müssen. Feierlich erklärte Ascher all das. Sonst sagte niemand ein Wort.

Dies war keine Nacht zum Reden. Auch draußen herrschte Stille. Kein Hund bellte, kein Schaf blökte, kein Esel schrie. Die Zeit schien stillzustehen, und alle Lebewesen schienen den Atem anzuhalten.

Plötzlich, es war nach Mitternacht, ertönte ein lauter Schmerzensschrei, dem ein weiterer folgte und noch einer. Dann brach auf allen Seiten im Dorf lautes Klagen los. Frauen beweinten den Tod ihrer Männer, Mütter jammerten über den Tod ihrer Söhne, Schwestern schluchzten, weil ihre Brüder gestorben waren, verzweifelte Väter verfluchten den Pharao, weil wegen seiner Hartherzigkeit dieses schreckliche Unheil über sie hereingebrochen war.

In ganz Ägypten herrschte in dieser Nacht Weinen und Wehklagen, wie es noch nie vernommen worden war. Der Tod hatte reiche Ernte gehalten, angefangen im

Palast des Pharaos bis hin zu den finstersten Kerkern, wo Gefangene in ihren Ketten gestorben waren. Mitten in der Nacht hatte der Herr alle Erstgeborenen getötet, wie er es angekündigt hatte.

»All das wäre nicht geschehen«, flüsterte Kalebs Mutter, die selbst weinte, weil sie das viele Leid in all den Familien nicht ertragen konnte, »all das wäre nicht geschehen, wenn sie nur auf Gott gehört hätten.«

Lange vor Sonnenaufgang war der Esel bepackt. Die beiden Mädchen halfen bei dieser Arbeit, während Ascher und Kaleb hinausgingen, um die Schafe reisefertig zu machen. Es war keine Zeit zu verlieren. Im Augenblick waren die Ägypter so mit ihrem eigenen Schmerz beschäftigt, dass es ihnen völlig gleichgültig war, was um sie herum geschah. Ja, diejenigen, die merkten, dass die Israeliten aufbrachen, überschütteten sie sogar mit Geschenken und flehten sie an, nur ja fortzuziehen. Doch wer konnte sagen, ob der Pharao es sich nicht jeden Augenblick anders überlegte und versuchen würde, sie festzuhalten?

Die Schafe waren erstaunt, die Hirten so früh zu sehen. Zwischen den Sternen kroch gerade die Dämmerung herauf, doch sie war noch zu schwach, um das Dunkel zu vertreiben. Die Herde lag in kleinen Gruppen beieinander. Sie war in den letzten Tagen stark zusammengeschmolzen. Die besten einjährigen männlichen Lämmer fehlten. Nur die mit Fehlern und die älteren Böcke waren noch da und natürlich die weiblichen Tiere, von denen viele ein Lamm bei sich hatten.

Als Kaleb mit seinem Vater die verlassene Straße betrat, fühlte er eine fast schmerzliche Erregung in sich.

Die kalte Luft, noch nicht von den Strahlen der Sonne erwärmt, war prickelnd wie seine Erwartung.

Sein Herz wurde von einer ganz neuen Freude erfüllt. Dieser Tag war ein ganz besonderer Tag, der erste Tag der Freiheit. Sein Volk war kein Sklavenvolk mehr. Die Israeliten konnten ihr Haupt erheben, konnten jubeln und brauchten sich nicht mehr zu fürchten. Ein neues Leben in einem neuen Land stand ihnen bevor. Niemand von ihnen kannte dieses Land oder wusste, wo es lag. Sie wussten nur, dass Gott sie führen würde, dass Mose Gottes Stimme unter ihnen war.

Erst als sie beim Pferch ankamen, wurde Kalebs Freude für einen Augenblick gedämpft. Ohne zu überlegen, rief er nach Isaak, so wie er es jeden Morgen getan hatte. Jeden Morgen hatte er sich darauf gefreut, dass der weiße, wollige Kopf mit den stolz geschwungenen Hörnern sich über die anderen Schafe erhob. Wenn er dann am Tor angekommen war, hatte Isaak ihn jeden Morgen dort schon erwartet, die Ohren gespitzt, die Augen strahlend, als habe er schon sehnsüchtig darauf gewartet, Kaleb zu begrüßen.

Der Name erstarb auf Kalebs Lippen. Ascher blickte seinen Sohn an. Er wusste, was jetzt in dessen Herz vorging.

»Wir müssen uns auch bald die Lämmer genau ansehen«, sagte er. »Du musst zwei für dich auswählen. Schließlich bist du jetzt ein Hirte, und was wäre ein Hirte ohne Schafe!«

Sie standen am Tor, und Ascher ließ Kaleb ihre eigenen Tiere aus all den Tieren herausrufen, die dort zusammengetrieben waren. Kaleb kannte sie inzwischen alle mit

Namen, und, was noch wichtiger war, sie kannten *seine* Stimme und kamen, wenn er rief. Noch vor einem Jahr hätten sie ihn gar nicht beachtet. Nun trotteten sie eilig heran. Die Mütter schoben ihre Lämmer vorwärts, und alle blökten ungeduldig. Es waren auch ein paar weiße Lämmer dabei. Kaleb war versucht zu sagen: »Die da, die möchte ich haben!«, weil sie ihn an Isaak erinnerten.

Aber er beherrschte sich, denn er wusste, dass ein guter Hirte seine Wahl sorgfältiger trifft. Nein, er wollte warten und die Lämmer in den kommenden Tagen und Wochen beobachten. Er wollte darauf achten, welche am kräftigsten waren und welche die Reise am besten ertrugen. Wenn er schwächliche, empfindliche Tiere aussuchte, würde er nie eine gute Herde zusammenbekommen. Es wäre ganz falsch, ein Lamm zu wählen, nur weil es wie Isaak aussah.

Isaak war ein ganz besonderes Lamm gewesen, das Gott ihm für einen ganz besonderen Zweck geschenkt hatte. Kaleb wusste: Ein Lamm wie Isaak würde er nie mehr bekommen; ein Lamm, das gestorben war, damit *er* leben konnte. Niemals würde er Isaak vergessen.

Kaleb war traurig, weil er etwas verloren hatte, was er nie mehr zurückerhalten würde. Doch in jener Nacht der Finsternis – der Nacht, in der der Herr durch das Land Ägypten gegangen war und sein Volk freigekauft hatte –, da war Kaleb erwachsen geworden. Das alte Leben war vorbei, ein neues Leben hatte begonnen. Isaak lebte in seinem Herzen weiter und würde da immer bei ihm sein.

Kaleb lächelte und erwiderte den Blick seines Vaters. Er war bereit, aufzubrechen und dem Herrn zu folgen, wohin er sie auch führen mochte.